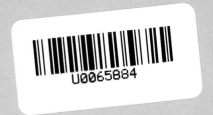

小學生晨讀10分鐘

漫畫語文故事集

故事文本篇

作者　曾世杰
漫畫　胡覺隆、呂家豪

作者的話

我從小愛看漫畫，「惡習」至今未改，甚至到現在還經常去某餐廳吃飯，只因那裡有一壁的漫畫書。我家老大小時候閱讀困難，我為他訂了全套漫畫版的《射雕英雄傳》，一頁頁帶著他讀，他也因此漸漸克服了閱讀困難。

有趣的是，大多數的父母師長，都不喜歡、甚至禁止孩子看漫畫，大人常罵：「還在看漫畫，你不會看點正書嗎？」不過，從自己陪孩子成長的經驗中，我發現漫畫其實可以作為陪伴孩子跨越閱讀之壁的媒材之一。

2016～2018 年，我申請科技部研究專案，針對二～四年級的孩子設計一套以真實情境為題材的故事，並繪製為漫畫，以研究漫畫對兒童閱讀理解的影響。

這套漫畫語文故事集與市售漫畫最大的不同在於：

一、強調閱讀學習：希望孩子在閱讀過這些故事後，不只是「好過癮」，也札札實實的提升讀寫能力。重複文章詞語設計讓孩子不知不覺中習得新詞，每一則故事也都設計配搭的練習本，提供流暢性和閱讀理解的練習機會，以增進讀寫相關能力。

二、強調難度控制：每一篇文章難度及字詞使用皆控制在適合國小中年級程度，且文章的順序安排由淺入深，讓孩子能循序漸進挑戰閱讀內容。

三、真實故事取材：真實故事能貼近生活世界，更能整合學校與社會生活，孩子也能同理文章內容，並實際運用到生活中，這與新課綱的閱讀素養不謀而合。

四、強調趣味：腳本均改寫自各種有趣、感人、勵志或驚奇的真實故事，透過輕快又幽默的筆調書寫，以吸引孩子閱讀與增加分享動機。

漫畫語文故事集編寫完成後，我們開始進行教學實驗研究，成果十分正向。正如所料，所有的參與兒童，都喜歡漫畫語文故事。語文能力高成就的兒童，有沒有漫畫輔助對他們的閱讀理解影響較小；但是，對於閱讀能力尚在發展的兒童，漫畫的分鏡能幫助他們提升 26% 閱讀理解力。

此外，臺東大學教育學系陳淑麗教授也將此漫畫語文故事應用於「差異化教學」研究，新北、臺南、花蓮、臺東的幾位四年級老師幫忙施行教學，也發現經過一個學期的實務研究，每個孩子的閱讀和語文能力表現都有大幅進步，其中有位平時找各種理由不寫功課的孩子，居然會向老師主動要求要寫漫畫語文故事集的練習本。

感謝科技部的研究支持、研究團隊陳淑麗教授和專任助理蘇春華、賴琤瑛的協助、曾參與研究的全國各地的國小老師與孩子，尤其感謝胡覺隆和呂家豪兩位漫畫家的傑出作品。最後要感謝親子天下執行長何琦瑜和她的夥伴林欣靜、楊琇珊、李幼婷，沒有你們的協助，這書永遠也出不來。

使用說明

在「故事文本篇」中，文章主要以「**主角、問題、解決、結果**」的故事結構撰寫。有研究指出，只要能察覺、學會故事結構，孩子對文章理解、內容重述及摘要的能力就會大幅增強。因此本書以大量、密集的故事體文本閱讀及練習，讓兒童發現、並學會理解與分析故事的文章結構。

其中第一及第二篇文章是所有文章裡難度最低，不僅字數最少、字頻最高，而且重覆句型最多，也能幫助孩子輕鬆跨越閱讀門檻進入閱讀世界。後面的文章設計，則是以三篇為一組的主題設計，讓孩子在第一篇文章中學到的閱讀策略可以產生「學習遷移」，在第二、三篇的故事裡運用出來，這樣才能有效鞏固孩子的閱讀策略學習，多元的主題選文則避免兒童在類似的內容中浸泡太久，對閱讀失去了新鮮感。

	標題	**主題**	**內容及目的**
1~2 篇	丹尼上山 杰生和老虎	閱讀開胃菜	以簡單、有趣的故事建立兒童的閱讀興趣及信心。
3~5 篇	貨車卡涵洞 危機就是轉機 所羅門王的智慧	克服困難	以有趣的故事清楚重覆呈現問題、解決、結果的文章結構。此結構有助於兒童內容重述及摘取大意的能力。
6~8 篇	好心有好報 忠犬小八 「恩恩」相報	恩慈相待	以人與人、人與動物之間的溫情互動，觸及兒童內心的感情世界，是同理心和同情心的開端。
9~11 篇	鐵人修女 你敢喝馬桶水嗎？ 發明家愛迪生	品格典範	再怎麼辛苦，也要達成目標！三位具恆毅力特質的人物素描，足以成為兒童的生命典範。
12~14 篇	飛機撞上馴鹿 皮膚也有嗅覺， 可以聞味道 真的有火星人嗎？	驚奇科普	以令人驚奇的科學發現為主題，開啟兒童訊息式文本（informational texts）的閱讀機會。

目錄

1 丹尼上山

看圖想一想

1. 你在圖片中看到什麼重要訊息（人、事、物）？
2. 你覺得丹尼看起來怎麼樣？為什麼？

丹ㄉㄢ尼ㄋㄧ上ㄕㄤ山ㄕㄢ

1

丹ㄉㄢ尼ㄋㄧ住ㄓㄨ在ㄗㄞ新ㄒㄧㄣ竹ㄓㄨ，他ㄊㄚ是ㄕ一一個ㄍㄜ美ㄇㄟ國ㄍㄨㄛ人ㄖㄣ。

Hello!

新竹

2

有ㄧㄡ一一天ㄊㄧㄢ，丹ㄉㄢ尼ㄋㄧ在ㄗㄞ電ㄉㄧㄢ視ㄕ新ㄒㄧㄣ聞ㄨㄣ中ㄓㄨㄥ看ㄎㄢ到ㄉㄠ石ㄕ磊ㄌㄟ國ㄍㄨㄛ小ㄒㄧㄠ沒ㄇㄟ有ㄧㄡ英ㄧㄥ文ㄨㄣ老ㄌㄠ師ㄕ。

石磊國小職缺英文老師

恆春半島
20~25
19:45:17

3

石_ㄕ磊_{ㄌㄟˇ}國_{ㄍㄨㄛˊ}小_{ㄒㄧㄠˇ}位_{ㄨㄟˋ}於_{ㄩˊ}海_{ㄏㄞˇ}拔_{ㄅㄚˊ}一_ㄧ千_{ㄑㄧㄢ}七_{ㄑㄧ}百_{ㄅㄞˇ}公_{ㄍㄨㄥ}尺_{ㄔˇ}高_{ㄍㄠ}的_{ㄉㄜ˙}高_{ㄍㄠ}山_{ㄕㄢ}上_{ㄕㄤˋ}，山_{ㄕㄢ}路_{ㄌㄨˋ}很_{ㄏㄣˇ}危_{ㄨㄟˊ}險_{ㄒㄧㄢˇ}，沒_{ㄇㄟˊ}有_{ㄧㄡˇ}人_{ㄖㄣˊ}要_{ㄧㄠˋ}去_{ㄑㄩˋ}當_{ㄉㄤ}英_{ㄧㄥ}文_{ㄨㄣˊ}老_{ㄌㄠˇ}師_ㄕ。

4

丹_{ㄉㄢ}尼_{ㄋㄧˊ}想_{ㄒㄧㄤˇ}：「我_{ㄨㄛˇ}可_{ㄎㄜˇ}以_{ㄧˇ}去_{ㄑㄩˋ}山_{ㄕㄢ}上_{ㄕㄤˋ}當_{ㄉㄤ}英_{ㄧㄥ}文_{ㄨㄣˊ}老_{ㄌㄠˇ}師_ㄕ啊_ㄚ！」

5

他_{ㄊㄚ}打_{ㄉㄚˇ}電_{ㄉㄧㄢˋ}話_{ㄏㄨㄚˋ}去_{ㄑㄩˋ}石_{ㄕˊ}磊_{ㄌㄟˇ}國_{ㄍㄨㄛˊ}小_{ㄒㄧㄠˇ}。校_{ㄒㄧㄠˋ}長_{ㄓㄤˇ}高_{ㄍㄠ}興_{ㄒㄧㄥˋ}的_{ㄉㄜ˙}說_{ㄕㄨㄛ}：「太_{ㄊㄞˋ}好_{ㄏㄠˇ}了_{ㄌㄜ˙}，小_{ㄒㄧㄠˇ}朋_{ㄆㄥˊ}友_{ㄧㄡˇ}有_{ㄧㄡˇ}英_{ㄧㄥ}文_{ㄨㄣˊ}老_{ㄌㄠˇ}師_ㄕ了_{ㄌㄜ˙}。」

6

不_{ㄅㄨˋ}過_{ㄍㄨㄛˋ}，丹_{ㄉㄢ}尼_{ㄋㄧˊ}不_{ㄅㄨˋ}是_{ㄕˋ}開_{ㄎㄞ}車_{ㄔㄜ}去_{ㄑㄩˋ}的_{ㄉㄜ˙}，也_{ㄧㄝˇ}不_{ㄅㄨˋ}是_{ㄕˋ}騎_{ㄑㄧˊ}機_{ㄐㄧ}車_{ㄔㄜ}去_{ㄑㄩˋ}的_{ㄉㄜ˙}，他_{ㄊㄚ}是_{ㄕˋ}騎_{ㄑㄧˊ}腳_{ㄐㄧㄠˇ}踏_{ㄊㄚˋ}車_{ㄔㄜ}去_{ㄑㄩˋ}的_{ㄉㄜ˙}。

7 每ㄇㄟˇ個ㄍㄜˋ星ㄒㄧㄥ期ㄑㄧ一ㄧ早ㄗㄠˇ上ㄕㄤˋ四ㄙˋ點ㄉㄧㄢˇ，天ㄊㄧㄢ還ㄏㄞˊ沒ㄇㄟˊ有ㄧㄡˇ亮ㄌㄧㄤˋ，他ㄊㄚ就ㄐㄧㄡˋ騎ㄑㄧˊ腳ㄐㄧㄠˇ踏ㄊㄚˋ車ㄔㄜ出ㄔㄨ門ㄇㄣˊ了ㄌㄜ。

8 他ㄊㄚ經ㄐㄧㄥ過ㄍㄨㄛˋ小ㄒㄧㄠˇ路ㄌㄨˋ和ㄏㄢˊ小ㄒㄧㄠˇ橋ㄑㄧㄠˊ，

9 經ㄐㄧㄥ過ㄍㄨㄛˋ小ㄒㄧㄠˇ山ㄕㄢ和ㄏㄢˊ大ㄉㄚˋ山ㄕㄢ。

10 他ㄊㄚ下ㄒㄧㄚˋ雨ㄩˇ天ㄊㄧㄢ騎ㄑㄧˊ，下ㄒㄧㄚˋ雪ㄒㄩㄝˇ天ㄊㄧㄢ也ㄧㄝˇ騎ㄑㄧˊ。

11

去石磊要騎六十公里，回程也要騎六十公里。

12

當他騎到一千七百公尺高的石磊國小，已經滿身大汗了。

13

山上的小朋友笑得好開心，因為他們要上英文課了。

14

丹尼很努力，小朋友和丹尼一樣也很努力。

15

他們努力學英文，還獲得全縣英文歌唱比賽第一名。

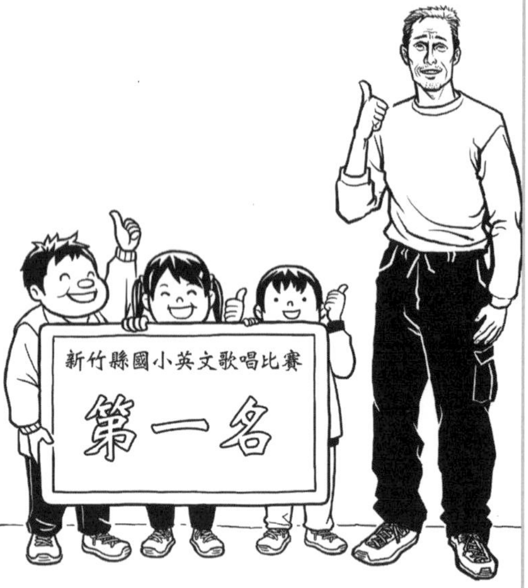

16

三年來，丹尼已經騎了一萬兩千多公里了！

丹尼上山

丹尼住在新竹，他是一個美國人。有一天，丹尼在電視新聞中看到石磊國小沒有英文老師。石磊國小位於海拔一千七百公尺高的高山上，山路很危險，沒有人要去當英文老師。

丹尼想：「我可以去山上當英文老師啊！」他打電話去石磊國小。校長高興的說：「太好了，小朋友有英文老師了。」不過，丹尼不是開車去的，也不是騎機車去的，他是騎腳踏車去的。

每個星期一早上四點，天還沒有亮，他就騎腳踏車出門了。他經過小路和小橋，經過小山和大山。他下雨天騎，下雪天也騎。去石磊要騎六十公里，回程也要騎六十公里。當他騎到一千七百公尺高的石磊國小，已經滿身大汗了。

山上的小朋友笑得好開心，因為他們要上英文課了。丹尼很努力，小朋友和丹尼一樣也很努力。他們努力學英文，還獲得全縣英文歌唱比賽第一名。三年來，丹尼已經騎了一萬兩千多公里了！

NOTE

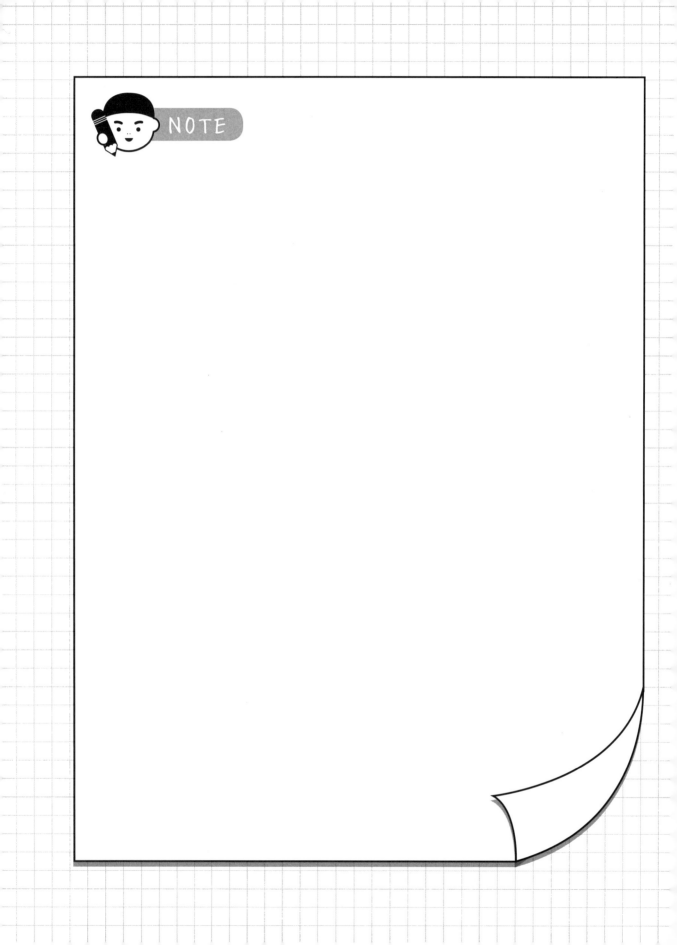

杰ㄐㄧㄝˊ生ㄕㄥ和ㄏㄢˋ老ㄌㄠˇ虎ㄏㄨˇ

 看ㄎㄢˋ圖ㄊㄨˊ想ㄒㄧㄤˇ一ㄧ想ㄒㄧㄤˇ

1. 你ㄋㄧˇ在ㄗㄞˋ圖ㄊㄨˊ片ㄆㄧㄢˋ中ㄓㄨㄥ看ㄎㄢˋ到ㄉㄠˋ什ㄕㄣˊ麼ㄇㄜ重ㄓㄨㄥˋ要ㄧㄠˋ訊ㄒㄩㄣˋ息ㄒㄧˊ（人ㄖㄣˊ、事ㄕˋ、物ㄨˋ）？

2. 杰ㄐㄧㄝˊ生ㄕㄥ和ㄏㄢˋ老ㄌㄠˇ虎ㄏㄨˇ的ㄉㄜ關ㄍㄨㄢ係ㄒㄧˋ看ㄎㄢˋ起ㄑㄧˇ來ㄌㄞˊ怎ㄗㄣˇ麼ㄇㄜ樣ㄧㄤˋ？為ㄨㄟˋ什ㄕㄣˊ麼ㄇㄜ？

看圖讀一讀

杰生和老虎

1

杰生的爸爸在印度的熱帶叢林裡工作。

2

有一天，他看見前面的樹叢裡面有個東西動個不停。

3

他撥開樹叢一看，原來是一隻小老虎。

4

小老虎用清澈的灰藍色眼睛看著他，「喵～喵～」的叫著。

5

爸爸把牠帶回家給杰生，並告訴他：「這隻小老虎是你的了。」

6

杰生幫牠取了一個名字叫做「來福」。杰生餵來福喝牛奶，

7

杰ㄐㄧㄝˊ生ㄕㄥ餵ㄨㄟˋ來ㄌㄞˊ福ㄈㄨˊ吃ㄔ肉ㄖㄡˋ，

8

杰ㄐㄧㄝˊ生ㄕㄥ經ㄐㄧㄥ常ㄔㄤˊ拉ㄌㄚ著ㄓㄜ牠ㄊㄚ的ㄉㄜ尾ㄨㄟˇ巴ㄅㄚ玩ㄨㄢˊ。

9

來ㄌㄞˊ福ㄈㄨˊ長ㄓㄤˇ得ㄉㄜ好ㄏㄠˇ快ㄎㄨㄞˋ，體ㄊㄧˇ型ㄒㄧㄥˊ越ㄩㄝˋ來ㄌㄞˊ越ㄩㄝˋ大ㄉㄚˋ。

10

後ㄏㄡˋ來ㄌㄞˊ來ㄌㄞˊ福ㄈㄨˊ長ㄓㄤˇ大ㄉㄚˋ了ㄌㄜ，大ㄉㄚˋ家ㄐㄧㄚ都ㄉㄡ很ㄏㄣˇ怕ㄆㄚˋ牠ㄊㄚ，

11

杰生和爸爸只好把來福送給動物園。

12

杰生經常去看來福，他喜歡把手伸進籠子裡和牠玩，拉牠的尾巴。

13

後來，杰生去上大學，

14

再度回到動物園看來福時，已經是三年以後了。

15

來福看起來不太一樣，變成一隻強壯的大老虎。

16

杰生把手伸進籠子裡和大老虎玩，還拉牠的尾巴。

17

旁邊的工作人員嚇壞了！

18

他說：「這是上個星期送來的另一隻野老虎，你的老虎已經換到另一個籠子裡了。」

杰生和老虎

杰生的爸爸在印度的熱帶叢林裡工作。有一天，他看見前面的樹叢裡面有個東西動個不停。他撥開樹叢一看，原來是一隻小老虎。小老虎用清澈的灰藍色眼睛看著他，「喵～喵～」的叫著。

爸爸把牠帶回家給杰生，並告訴他：「這隻小老虎是你的了。」杰生幫牠取了一個名字叫做「來福」。杰生餵來福喝牛奶，杰生餵來福吃肉，杰生經常拉著牠的尾巴玩。來福長得好快，體型越來越大。後來來福長大了，大家都很怕牠，杰生和爸爸只好把來福送給動物園。杰生經常去看來福，他喜歡把手伸進籠子裡和牠玩，拉牠的尾巴。

後來，杰生去上大學，再度回到動物園看來福時，已經是三年以後了。來福看起來不太一樣，變成一隻強壯的大老虎。杰生把手伸進籠子裡和大老虎玩，還拉牠的尾巴。旁邊的工作人員嚇壞了！他說：「這是上個星期送來的另一隻野老虎，你的老虎已經換到另一個籠子裡了。」

NOTE

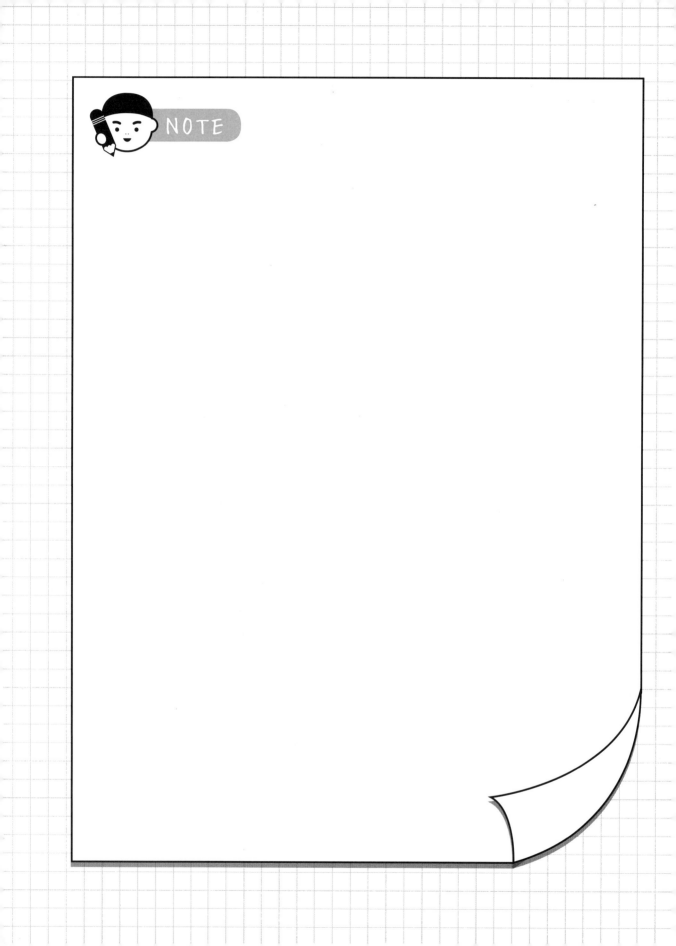

3 貨(ㄏㄨㄜˋ)車(ㄔㄜ)卡(ㄎㄚˇ)涵(ㄏㄢˊ)洞(ㄉㄨㄥˋ)

看(ㄎㄢˋ)圖(ㄊㄨˊ)想(ㄒㄧㄤˇ)一(ㄧˋ)想(ㄒㄧㄤˇ)

1. 圖(ㄊㄨˊ)片(ㄆㄧㄢˋ)中(ㄓㄨㄥ)這(ㄓㄜˋ)輛(ㄌㄧㄤˋ)車(ㄔㄜ)發(ㄈㄚ)生(ㄕㄥ)了(ㄌㄜ˙)什(ㄕㄣˊ)麼(ㄇㄜ˙)事(ㄕˋ)？

2. 這(ㄓㄜˋ)個(ㄍㄜˋ)人(ㄖㄣˊ)的(ㄉㄜ˙)心(ㄒㄧㄣ)裡(ㄌㄧˇ)在(ㄗㄞˋ)想(ㄒㄧㄤˇ)什(ㄕㄣˊ)麼(ㄇㄜ˙)？他(ㄊㄚ)有(ㄧㄡˇ)什(ㄕㄣˊ)麼(ㄇㄜ˙)感(ㄍㄢˇ)覺(ㄐㄩㄝˊ)？

看圖讀一讀

貨車卡涵洞

1

臺中市有一條和鐵路交叉的馬路，

2

工程師設計了一個涵洞，讓火車從涵洞上面駛過，而汽車從涵洞裡駛過，如此才不會相撞。

3

這個涵洞小小的，
只能讓小車通過，
一旦大車開進去，
就會卡住。

4

交通局在涵洞前設
置了一個「限高兩
公尺」的警告牌。

5

有一天傍晚，張先
生工作了一整天，
無精打采的開著他
的小貨車。

6

因為天色昏暗，張
先生沒有看到警告
牌，

7

結果他竟然把小貨車直接開進涵洞，「砰——」的一聲，車子卡住了！

8

他想要踩油門，但是車子無法前進；

9

他想要倒車，但是車子也不能後退。

10

這時候是上下班的交通尖峰時間，後面的車子越來越多，形成了大排長龍的景象。

進ㄐㄧㄣˋ退ㄊㄨㄟˋ兩ㄌㄧㄤˇ難ㄋㄢˊ的ㄉㄜ張ㄓㄤ先ㄒㄧㄢ生ㄕㄥ滿ㄇㄢˇ頭ㄊㄡˊ大ㄉㄚˋ汗ㄏㄢˋ，也ㄧㄝˇ非ㄈㄟ常ㄔㄤˊ焦ㄐㄧㄠ慮ㄌㄩˋ，只ㄓˇ好ㄏㄠˇ趕ㄍㄢˇ快ㄎㄨㄞˋ打ㄉㄚˇ電ㄉㄧㄢˋ話ㄏㄨㄚˋ給ㄍㄟˇ110求ㄑㄧㄡˊ救ㄐㄧㄡˋ。

兩ㄌㄧㄤˇ位ㄨㄟˋ警ㄐㄧㄥˇ察ㄔㄚˊ抵ㄉㄧˇ達ㄉㄚˊ現ㄒㄧㄢˋ場ㄔㄤˇ後ㄏㄡˋ，立ㄌㄧˋ即ㄐㄧˊ指ㄓˇ揮ㄏㄨㄟ交ㄐㄧㄠ通ㄊㄨㄥ並ㄅㄧㄥˋ疏ㄕㄨ散ㄙㄢˋ車ㄔㄜ輛ㄌㄧㄤˋ。

因ㄧㄣ為ㄨㄟˋ車ㄔㄜ子ㄗˇ的ㄉㄜ車ㄔㄜ身ㄕㄣ實ㄕˊ在ㄗㄞˋ太ㄊㄞˋ高ㄍㄠ了ㄌㄜ，所ㄙㄨㄛˇ以ㄧˇ才ㄘㄞˊ會ㄏㄨㄟˋ卡ㄎㄚˇ住ㄓㄨˋ。警ㄐㄧㄥˇ察ㄔㄚˊ心ㄒㄧㄣ想ㄒㄧㄤˇ：「這ㄓㄜˋ該ㄍㄞ怎ㄗㄣˇ麼ㄇㄜ辦ㄅㄢˋ呢ㄋㄜ？」

後ㄏㄡˋ來ㄌㄞˊ他ㄊㄚ們ㄇㄣ靈ㄌㄧㄥˊ機ㄐㄧ一ㄧ動ㄉㄨㄥˋ，決ㄐㄩㄝ定ㄉㄧㄥˋ幫ㄅㄤ張ㄓㄤ先ㄒㄧㄢ生ㄕㄥ把ㄅㄚˇ四ㄙˋ個ㄍㄜ輪ㄌㄨㄣˊ胎ㄊㄞ放ㄈㄤˋ氣ㄑㄧˋ。

15

放掉一些氣之後，雖然車身降低了十公分，但是車子還是動不了。

16

原來，剛才小貨車撞到警告牌時，有一塊警告牌卡在車頂和涵洞之間，使得車子移動不了。

17

於是，警察又爬到車頂上，將警告牌拆掉。

18

張先生鬆了一口氣，不再焦慮，心想：「我終於可以把車開走了。」

貨車卡涵洞

臺中市有一條和鐵路交叉的馬路，工程師設計了一個涵洞，讓火車從涵洞上面駛過，而汽車從涵洞裡駛過，如此才不會相撞。這個涵洞小小的，只能讓小車通過，一旦大車開進去，就會卡住。交通局在涵洞前設置了一個「限高兩公尺」的警告牌。

有一天傍晚，張先生工作了一整天，無精打采的開著他的小貨車。因為天色昏暗，張先生沒有看到警告牌，結果他竟然把小貨車直接開進涵洞，「砰——」的一聲，車子卡住了！他想要踩油門，但是車子無法前進；他想要倒車，但是車子也不能後退。這時候是上下班的交通尖峰時間，後面的車子越來越多，形成了大排長龍的景象。進退兩難的張先生滿頭大汗，也非常焦慮，只好趕快打電話給 110 求救。

兩位警察抵達現場後，立即指揮交通並疏散車輛。因為車子的車身實在太高了，所以才會卡住。警察心想：「這該怎麼辦呢？」後來他們靈機一動，決定幫張先生把四個輪胎放氣。放掉一些氣之後，雖然車身降低了十公分，但是車子還是動不了。原來，剛才小貨車撞到警告牌時，有一塊警告牌卡在車頂和涵洞之間，使得車子移動不了。於是，警察又爬到車頂上，將警告牌拆掉。

張先生鬆了一口氣，不再焦慮，心想：「我終於可以把車開走了。」

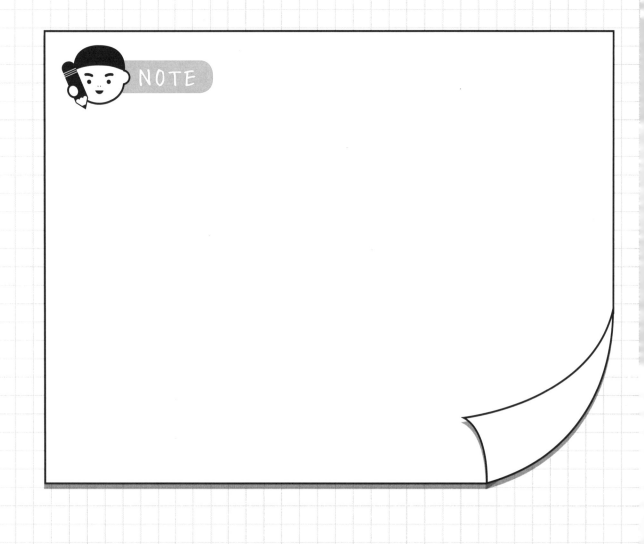

4 危機就是轉機

看圖想一想

1. 你覺得犀牛和獅子誰比較厲害？
2. 這頭犀牛被困在泥塘裡，動彈不得，牠會被獅子吃掉嗎？

看圖讀一讀

危機就是轉機

1

犀牛壯壯是個大個子，體重重達一千四百公斤，在陸地上僅次於大象。

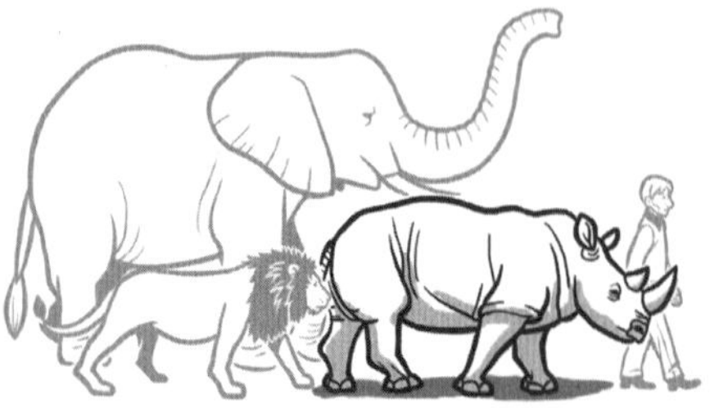

2

牠皮厚肉粗，長著尖利的長角，速度又快，被牠撞上，絕對沒好下場。

3

所以，牠雖然是草食性動物，但連獅子都不敢招惹牠。

4

今天，壯壯到一個水塘裡泡澡，要離開的時候，發生了一件倒楣的事。

5

壯壯的腿短，身子太重，水塘的邊緣又高又滑，全是爛泥巴，

6

牠爬了又爬，掙扎了又掙扎，就是爬不上去。

7

牠使盡吃奶的力氣，已經筋疲力竭了。

8

太陽越來越大，天氣越來越熱。再出不去，壯壯就會被晒死在這裡了。

9

更倒楣的是，筋疲力竭的牠這時卻被獅子盯上了。

10

犀牛肉這麼多，一定是很美味的一頓大餐。於是，一頭獅子來了。

11

第二頭、第三頭獅子也跟著來了，這會兒真是危機四伏啊！

12

獅子從右邊靠近，壯壯不得不往左邊移動。

13

壯壯移動幾公尺之後，咦，牠發現左岸的水位比較淺。

14

不知哪來的蠻力，牠用力掙扎一下，居然就衝上岸了。

15

一上岸，獅子根本就不是牠的對手，壯壯終於安全了。

16

壯壯面對生命最大危機的時候，居然是敵人救了牠。

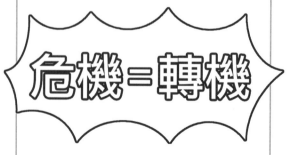

17

危=危險

機=機會

危機，就是危險和機會，發生危險，就會有新的機會。

18

俗話說：「危機就是轉機」，真是一點也沒錯啊！

危機=轉機

危機就是轉機

犀牛壯壯是個大個子，體重重達一千四百公斤，在陸地上僅次於大象。牠皮厚肉粗，長著尖利的長角，速度又快，被牠撞上，絕對沒好下場。所以，牠雖然是草食性動物，但連獅子都不敢招惹牠。

今天，壯壯到一個水塘裡泡澡，要離開的時候，發生了一件倒楣的事。壯壯的腿短，身子太重，水塘的邊緣又高又滑，全是爛泥巴，牠爬了又爬，掙扎了又掙扎，就是爬不上去。牠使盡吃奶的力氣，已經筋疲力竭了。太陽越來越大，天氣越來越熱。再出不去，壯壯就會被晒死在這裡了。

更倒楣的是，筋疲力竭的牠這時卻被獅子盯上了。犀牛肉這麼多，一定是很美味的一頓大餐。於是，一頭獅子來了。第二頭、第三頭獅子也跟著來了，這會兒真是危機四伏啊！獅子從右邊靠近，壯壯不得不往左邊移動。壯壯移動幾公尺之後，咦，牠發現左岸的水位比較淺。

不知哪來的蠻力，牠用力掙扎一下，居然就衝上岸了。一上岸，獅子根本就不是牠的對手，壯壯終於安全了。壯壯面對生命最大危機的時候，居然是敵人救了牠。

危機，就是危險和機會，發生危險，就會有新的機會。俗話說：「危機就是轉機」，真是一點也沒錯啊！

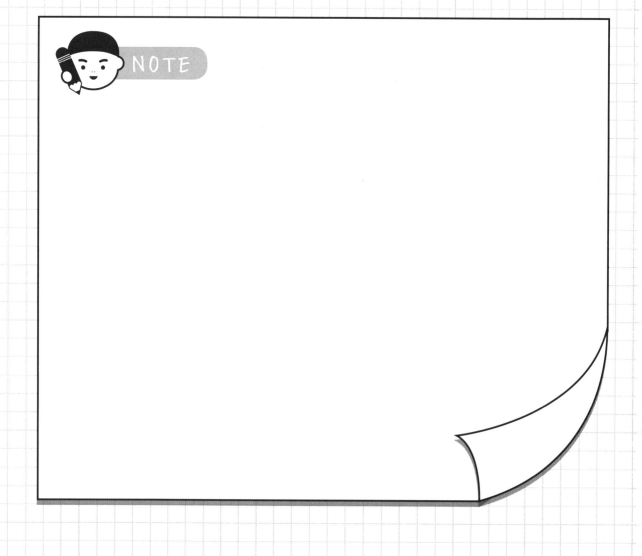

5 所(ㄙㄨㄛˇ)羅(ㄌㄨㄛˊ)門(ㄇㄣˊ)王(ㄨㄤˊ)的(ㄉㄜ˙)智(ㄓˋ)慧(ㄏㄨㄟˋ)

看(ㄎㄢˋ)圖(ㄊㄨˊ)想(ㄒㄧㄤˇ)一(ㄧ)想(ㄒㄧㄤˇ)

1. 你(ㄋㄧˇ)在(ㄗㄞˋ)圖(ㄊㄨˊ)片(ㄆㄧㄢˋ)中(ㄓㄨㄥ)看(ㄎㄢˋ)到(ㄉㄠˋ)什(ㄕㄣˊ)麼(ㄇㄜ˙)重(ㄓㄨㄥˋ)要(ㄧㄠˋ)訊(ㄒㄩㄣˋ)息(ㄒㄧˊ)（人(ㄖㄣˊ)、事(ㄕˋ)、物(ㄨˋ)）？

2. 你(ㄋㄧˇ)覺(ㄐㄩㄝˊ)得(ㄉㄜˊ)他(ㄊㄚ)們(ㄇㄣˊ)為(ㄨㄟˋ)什(ㄕㄣˊ)麼(ㄇㄜ˙)要(ㄧㄠˋ)把(ㄅㄚˇ)嬰(ㄧㄥ)兒(ㄦˊ)抱(ㄅㄠˋ)到(ㄉㄠˋ)國(ㄍㄨㄛˊ)王(ㄨㄤˊ)面(ㄇㄧㄢˋ)前(ㄑㄧㄢˊ)？

看圖讀一讀

所羅門王的智慧

1

很久以前，在以色列有一位充滿智慧的國王——所羅門，幾乎任何事都難不倒他。

2

有一天，以麗沙和菲比為了爭奪一位小男嬰而吵得鬧哄哄的。

3

鄰近的官員聽了原因後，實在無法判斷，

4

只好把婦人帶到所羅門王面前，請他判斷。

5

以利沙說：「國王啊，我跟菲比住在一起，我們都生了男嬰，

6

沒想到，有天要餵奶時，我發現孩子死了。

不ㄅㄨ過ㄍㄨㄛˋ，我ㄨㄛˇ仔ㄗˇ細ㄒㄧˋ一ㄧ看ㄎㄢˋ，這ㄓㄜˋ個ㄍㄜ˙死ㄙˇ掉ㄉㄧㄠˋ的ㄉㄜ˙孩ㄏㄞˊ子ㄗ˙不ㄅㄨ是ㄕˋ我ㄨㄛˇ的ㄉㄜ˙，是ㄕˋ菲ㄈㄟ比ㄅㄧˇ的ㄉㄜ˙。

原ㄩㄢˊ來ㄌㄞˊ是ㄕˋ她ㄊㄚ偷ㄊㄡ偷ㄊㄡ抱ㄅㄠˋ走ㄗㄡˇ我ㄨㄛˇ的ㄉㄜ˙孩ㄏㄞˊ子ㄗ˙，把ㄅㄚˇ死ㄙˇ掉ㄉㄧㄠˋ的ㄉㄜ˙孩ㄏㄞˊ子ㄗ˙放ㄈㄤˋ在ㄗㄞˋ我ㄨㄛˇ身ㄕㄣ邊ㄅㄧㄢ。」

菲ㄈㄟ比ㄅㄧˇ馬ㄇㄚˇ上ㄕㄤˋ回ㄏㄨㄟˊ說ㄕㄨㄛ：「國ㄍㄨㄛˊ王ㄨㄤˊ啊ㄚ，不ㄅㄨ是ㄕˋ這ㄓㄜˋ樣ㄧㄤˋ的ㄉㄜ˙，這ㄓㄜˋ個ㄍㄜ˙活ㄏㄨㄛˊ的ㄉㄜ˙孩ㄏㄞˊ子ㄗ˙明ㄇㄧㄥˊ明ㄇㄧㄥˊ就ㄐㄧㄡˋ是ㄕˋ我ㄨㄛˇ的ㄉㄜ˙。

雖ㄙㄨㄟ然ㄖㄢˊ以ㄧˇ麗ㄌㄧˋ沙ㄕㄚ孩ㄏㄞˊ子ㄗ˙死ㄙˇ了ㄌㄜ˙很ㄏㄣˇ可ㄎㄜˇ憐ㄌㄧㄢˊ，但ㄉㄢˋ也ㄧㄝˇ不ㄅㄨ能ㄋㄥˊ搶ㄑㄧㄤˇ我ㄨㄛˇ的ㄉㄜ˙孩ㄏㄞˊ子ㄗ˙啊ㄚ！」

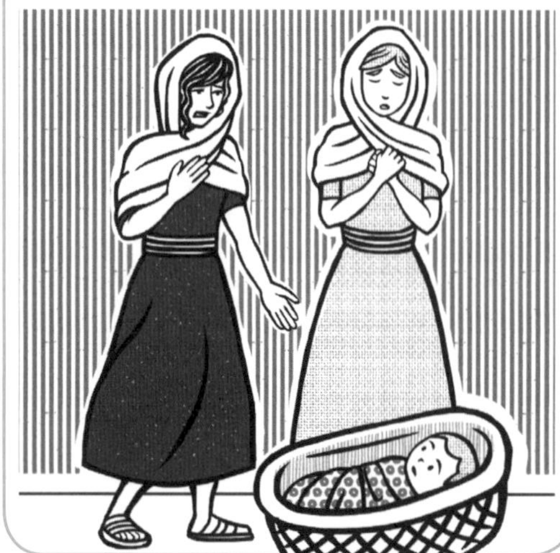

11

以ˇ麗ㄌㄧˋ沙ㄕㄚ說ㄕㄨㄛ：「你ㄋㄧˇ說ㄕㄨㄛ謊ㄏㄨㄤˇ，這ㄓㄜˋ個ㄍㄜˋ孩ㄏㄞˊ子ˇ是ㄕˋ我ˇ的ㄉㄜˊ。」

12

菲ㄈㄟ比ㄅㄧˇ說ㄕㄨㄛ：「你ㄋㄧˇ才ㄘㄞˊ說ㄕㄨㄛ謊ㄏㄨㄤˇ，這ㄓㄜˋ個ㄍㄜˋ孩ㄏㄞˊ子ˇ是ㄕˋ我ˇ的ㄉㄜˊ。」

13

以ˇ麗ㄌㄧˋ沙ㄕㄚ和ㄏㄜˊ菲ㄈㄟ比ㄅㄧˇ在ㄗㄞˋ國ㄍㄨㄛˊ王ㄨㄤˊ面ㄇㄧㄢˋ前ㄑㄧㄢˊ不ㄅㄨˋ停ㄊㄧㄥˊ的ㄉㄜˊ鬥ㄉㄡˋ嘴ㄗㄨㄟˇ，國ㄍㄨㄛˊ王ㄨㄤˊ沉ㄔㄣˊ思ㄙ了ㄌㄜˊ一ㄧˋ會ㄏㄨㄟˋ說ㄕㄨㄛ：「拿ㄋㄚˊ刀ㄉㄠ來ㄌㄞˊ，把ㄅㄚˇ孩ㄏㄞˊ子ˇ劈ㄆㄧˊ成ㄔㄥˊ兩ㄌㄧㄤˇ半ㄅㄢˋ，一ㄧˋ人ㄖㄣˊ一ㄧˋ半ㄅㄢˋ，最ㄗㄨㄟˋ公ㄍㄨㄥ平ㄆㄧㄥˊ！」

14

菲ㄈㄟ比ㄅㄧˇ冷ㄌㄥˇ靜ㄐㄧㄥˋ的ㄉㄜˊ說ㄕㄨㄛ：「一ㄧ人ㄖㄣˊ一ㄧˋ半ㄅㄢˋ很ㄏㄣˇ公ㄍㄨㄥ平ㄆㄧㄥˊ，就ㄐㄧㄡˋ把ㄅㄚˇ孩ㄏㄞˊ子ˇ劈ㄆㄧˊ了ㄌㄜˊ吧ㄅㄚ！」

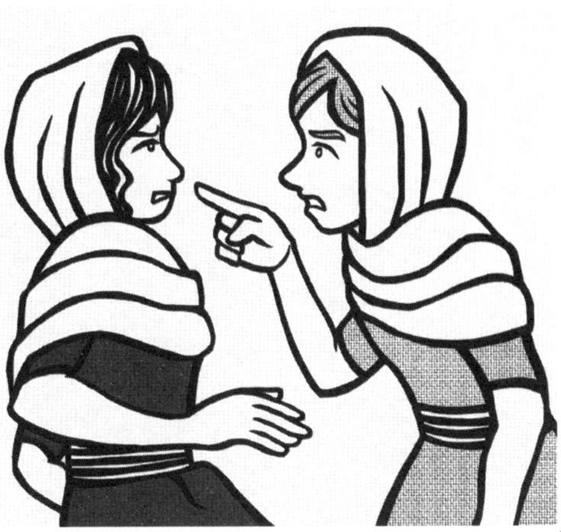

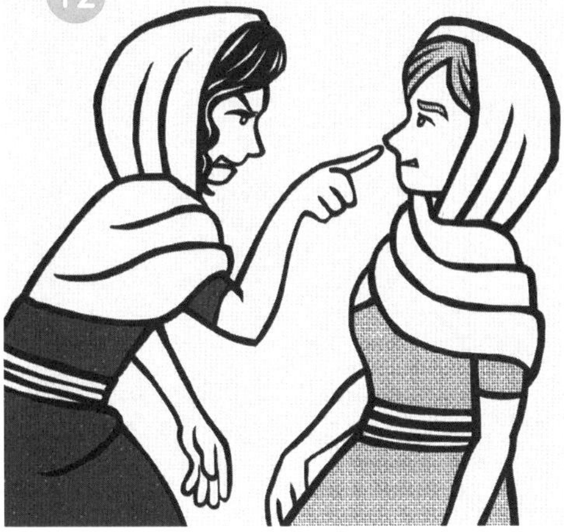

15

以麗沙慌張的搖著手說：「孩子不能劈、不能劈，孩子給她好了，我不要了。」

16

這時所羅門王大聲的說：「真相大白！孩子是以麗沙的，

17

只有真媽媽才會不忍心孩子被殺，把這個說謊的媽媽拖下去，我要重重的處罰她。」

18

大家聽到所羅門王的作法，都佩服他的判斷，因為他擁有過人的智慧。

所羅門王的智慧

很久以前，在以色列有一位充滿智慧的國王——所羅門，幾乎任何事都難不倒他。

有一天，以麗沙和菲比為了爭奪一位小男嬰而吵得鬧哄哄的。鄰近的官員聽了原因後，實在無法判斷，只好把婦人帶到所羅門王面前，請他判斷。

以麗沙說：「國王啊，我跟菲比住在一起，我們都生了男嬰，沒想到，有天要餵奶時，我發現孩子死了。不過，我仔細一看，這個死掉的孩子不是我的，是菲比的。原來是她偷偷抱走我的孩子，把死掉的孩子放在我身邊。」菲比馬上回說：「國王啊，不是這樣的，這個活的孩子明明就是我的。雖然以麗沙孩子死了很可憐，但也不能搶我的孩子啊！」以麗沙說：「你說謊，這個孩子是我的。」菲比說：「你才說謊，這個孩子是我的。」以麗沙和菲比在國王面前不停的鬥嘴，國王沉思了一會說：「拿刀來，把孩子劈成兩半，一人一半，最公平！」

菲比冷靜的說：「一人一半很公平，就把孩子劈了吧！」以麗沙慌張的搖著手說：「孩子不能劈、不能劈，孩子給她好了，我不要了。」這時所羅門王大聲的說：「真相大白！孩子是以麗沙的，只有真媽媽才會不忍心孩子被殺，把這個說謊的媽媽拖下去，我要重重的處罰她。」

大家聽到所羅門王的作法，都佩服他的判斷，因為他擁有過人的智慧。

6 好心有好報

看圖想一想

1. 你在圖片中看到幾個人？
2. 一個家庭裡有這麼多人，你猜會怎麼樣呢？

看圖讀一讀

好ㄏㄠˇ心ㄒㄧㄣ有ㄧㄡˇ好ㄏㄠˇ報ㄅㄠˋ

1

奧ㄠˋ黛ㄉㄞˋ莉ㄌㄧˋ得ㄉㄜˊ了ㄌㄜ癌ㄞˊ症ㄓㄥˋ，即ㄐㄧˊ將ㄐㄧㄤ不ㄅㄨˋ久ㄐㄧㄡˇ於ㄩˊ人ㄖㄣˊ世ㄕˋ，但ㄉㄢˋ她ㄊㄚ是ㄕˋ個ㄍㄜ單ㄉㄢ親ㄑㄧㄣ媽ㄇㄚ媽ㄇㄚ，孩ㄏㄞˊ子ㄗ˙怎ㄗㄣˇ麼ㄇㄜ˙辦ㄅㄢˋ？

2

「我ㄨㄛˇ快ㄎㄨㄞˋ要ㄧㄠˋ不ㄅㄨˋ行ㄒㄧㄥˊ了ㄌㄜ，可ㄎㄜˇ以ㄧˇ請ㄑㄧㄥˇ你ㄋㄧˇ領ㄌㄧㄥˇ養ㄧㄤˇ我ㄨㄛˇ的ㄉㄜ˙三ㄙㄢ個ㄍㄜ孩ㄏㄞˊ子ㄗ˙嗎ㄇㄚ˙？」她ㄊㄚ拜ㄅㄞˋ託ㄊㄨㄛ她ㄊㄚ的ㄉㄜ˙鄰ㄌㄧㄣˊ居ㄐㄩ提ㄊㄧˊ莎ㄕㄚ。

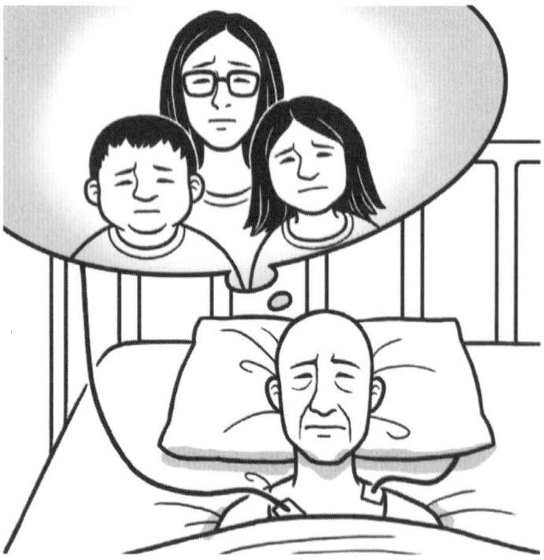

3

提莎說：「你放心，我和凱文會領養孩子，並且好好照顧他們。」奧黛莉終於安心離世。

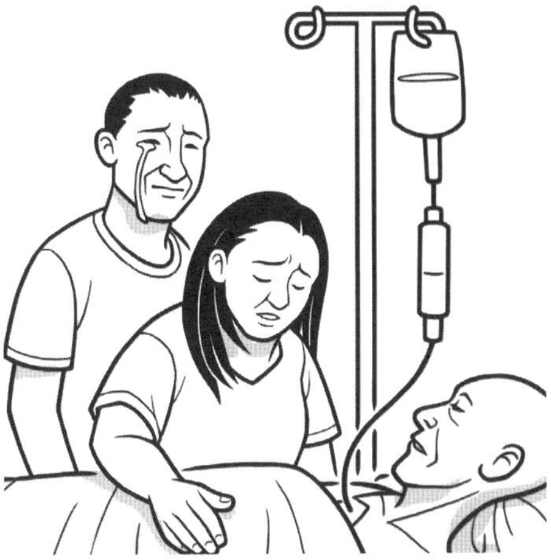

4

其實提莎和凱文已經有五個孩子了，再加上三個，房子就住不下了。

5

三個孩子住進來以後，其中兩個孩子得擠在頂層的小隔間。

6

另外，最大的兒子睡在躺椅上，還有一個睡在廚房地上的床墊。

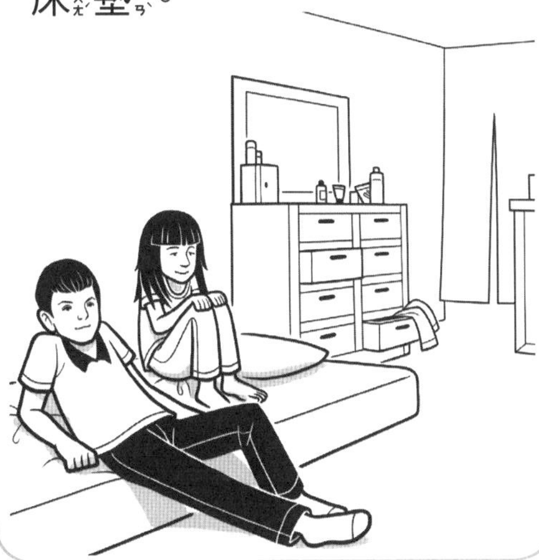

7

他們根本沒有錢改善環境，但有一個名叫「驚喜小組」的電視節目聽說了這一家人的困境。

8

他們被提莎和凱文的愛心感動了，決定設法解決他們的問題。

9

「讓我們幫忙把家裡重新隔間吧，但工程進行時，請你們先到旅館住一個星期。」主持人說。

10

一個星期後，一家十口回到家裡，他們簡直不敢相信自己的眼睛。

11

原來，這個星期裡，工人進進出出，他們不僅改變了隔間，也重新油漆。

12

客廳裝潢後換了新的地毯，還買了全新的家具。

13

「太不可思議了，太感謝了。」正當提莎和家人感激得熱淚盈眶時，

14

還有一個更大的驚喜——一輛十二人座的大車子緩緩開了過來。

15

主持人笑著說：「這輛車子也是送給你們的，以後可以全家出遊了。」

16

「許多人一起努力，促成了一個令人驚喜的耶誕節。」主持人說：「最後，我們來問提莎一個問題：

17

『為什麼家都住不下了，你還願意再領養三個孩子呢？』」

18

「因為……」，提莎緩緩的說：「我自己就是在孤兒院裡長大的。」

好ㄏㄠˇ心ㄒㄧㄣ有ㄧㄡˇ好ㄏㄠˇ報ㄅㄠˋ

奧ㄠˋ黛ㄉㄞˋ莉ㄌㄧˋ得ㄉㄜˊ了ㄌㄜ癌ㄞˊ症ㄓㄥˋ，即ㄐㄧˊ將ㄐㄧㄤ不ㄅㄨˋ久ㄐㄧㄡˇ於ㄩˊ人ㄖㄣˊ世ㄕˋ，但ㄉㄢˋ她ㄊㄚ是ㄕˋ個ㄍㄜ單ㄉㄢ親ㄑㄧㄣ媽ㄇㄚ媽ㄇㄚ，孩ㄏㄞˊ子ㄗˇ怎ㄗㄣˇ麼ㄇㄜ辦ㄅㄢˋ？

「我ㄨㄛˇ快ㄎㄨㄞˋ要ㄧㄠˋ不ㄅㄨˋ行ㄒㄧㄥˊ了ㄌㄜ，可ㄎㄜˇ以ㄧˇ請ㄑㄧㄥˇ你ㄋㄧˇ領ㄌㄧㄥˇ養ㄧㄤˇ我ㄨㄛˇ的ㄉㄜ三ㄙㄢ個ㄍㄜ孩ㄏㄞˊ子ㄗˇ嗎ㄇㄚ？」她ㄊㄚ拜ㄅㄞˋ託ㄊㄨㄛ她ㄊㄚ的ㄉㄜ鄰ㄌㄧㄣˊ居ㄐㄩ提ㄊㄧˊ莎ㄕㄚ。提ㄊㄧˊ莎ㄕㄚ說ㄕㄨㄛ：「你ㄋㄧˇ放ㄈㄤˋ心ㄒㄧㄣ，我ㄨㄛˇ和ㄏㄢˋ凱ㄎㄞˇ文ㄨㄣˊ會ㄏㄨㄟˋ領ㄌㄧㄥˇ養ㄧㄤˇ孩ㄏㄞˊ子ㄗˇ，並ㄅㄧㄥˋ且ㄑㄧㄝˇ好ㄏㄠˇ好ㄏㄠˇ照ㄓㄠˋ顧ㄍㄨˋ他ㄊㄚ們ㄇㄣ。」奧ㄠˋ黛ㄉㄞˋ莉ㄌㄧˋ終ㄓㄨㄥ於ㄩˊ安ㄢ心ㄒㄧㄣ離ㄌㄧˊ世ㄕˋ。

其ㄑㄧˊ實ㄕˊ提ㄊㄧˊ莎ㄕㄚ和ㄏㄢˋ凱ㄎㄞˇ文ㄨㄣˊ已ㄧˇ經ㄐㄧㄥ有ㄧㄡˇ五ㄨˇ個ㄍㄜ孩ㄏㄞˊ子ㄗˇ了ㄌㄜ，再ㄗㄞˋ加ㄐㄧㄚ上ㄕㄤˋ三ㄙㄢ個ㄍㄜ，房ㄈㄤˊ子ㄗˇ就ㄐㄧㄡˋ住ㄓㄨˋ不ㄅㄨˋ下ㄒㄧㄚˋ了ㄌㄜ。三ㄙㄢ個ㄍㄜ孩ㄏㄞˊ子ㄗˇ住ㄓㄨˋ進ㄐㄧㄣˋ來ㄌㄞˊ以ㄧˇ後ㄏㄡˋ，其ㄑㄧˊ中ㄓㄨㄥ兩ㄌㄧㄤˇ個ㄍㄜ孩ㄏㄞˊ子ㄗˇ得ㄉㄟˇ擠ㄐㄧˇ在ㄗㄞˋ頂ㄉㄧㄥˇ層ㄘㄥˊ的ㄉㄜ小ㄒㄧㄠˇ隔ㄍㄜˊ間ㄐㄧㄢ。另ㄌㄧㄥˋ外ㄨㄞˋ，最ㄗㄨㄟˋ大ㄉㄚˋ的ㄉㄜ兒ㄦˊ子ㄗˇ睡ㄕㄨㄟˋ在ㄗㄞˋ躺ㄊㄤˇ椅ㄧˇ上ㄕㄤˋ，還ㄏㄞˊ有ㄧㄡˇ一ㄧ個ㄍㄜ睡ㄕㄨㄟˋ在ㄗㄞˋ廚ㄔㄨˊ房ㄈㄤˊ地ㄉㄧˋ上ㄕㄤˋ的ㄉㄜ床ㄔㄨㄤˊ墊ㄉㄧㄢˋ。他ㄊㄚ們ㄇㄣ根ㄍㄣ本ㄅㄣˇ沒ㄇㄟˊ有ㄧㄡˇ錢ㄑㄧㄢˊ改ㄍㄞˇ善ㄕㄢˋ環ㄏㄨㄢˊ境ㄐㄧㄥˋ，但ㄉㄢˋ有ㄧㄡˇ一ㄧ個ㄍㄜ名ㄇㄧㄥˊ叫ㄐㄧㄠˋ「驚ㄐㄧㄥ喜ㄒㄧˇ小ㄒㄧㄠˇ組ㄗㄨˇ」的ㄉㄜ電ㄉㄧㄢˋ視ㄕˋ節ㄐㄧㄝˊ目ㄇㄨˋ聽ㄊㄧㄥ說ㄕㄨㄛ了ㄌㄜ這ㄓㄜˋ一ㄧ家ㄐㄧㄚ人ㄖㄣˊ的ㄉㄜ困ㄎㄨㄣˋ境ㄐㄧㄥˋ。他ㄊㄚ們ㄇㄣ被ㄅㄟˋ提ㄊㄧˊ莎ㄕㄚ和ㄏㄢˋ凱ㄎㄞˇ文ㄨㄣˊ的ㄉㄜ愛ㄞˋ心ㄒㄧㄣ感ㄍㄢˇ動ㄉㄨㄥˋ了ㄌㄜ，決ㄐㄩㄝˊ定ㄉㄧㄥˋ設ㄕㄜˋ法ㄈㄚˇ解ㄐㄧㄝˇ決ㄐㄩㄝˊ他ㄊㄚ們ㄇㄣ的ㄉㄜ問ㄨㄣˋ題ㄊㄧˊ。「讓ㄖㄤˋ我ㄨㄛˇ們ㄇㄣ幫ㄅㄤ忙ㄇㄤˊ把ㄅㄚˇ家ㄐㄧㄚ裡ㄌㄧˇ重ㄔㄨㄥˊ新ㄒㄧㄣ隔ㄍㄜˊ間ㄐㄧㄢ吧ㄅㄚ，但ㄉㄢˋ工ㄍㄨㄥ程ㄔㄥˊ進ㄐㄧㄣˋ行ㄒㄧㄥˊ時ㄕˊ，請ㄑㄧㄥˇ你ㄋㄧˇ們ㄇㄣ先ㄒㄧㄢ到ㄉㄠˋ旅ㄌㄩˇ館ㄍㄨㄢˇ住ㄓㄨˋ一ㄧ個ㄍㄜ星ㄒㄧㄥ期ㄑㄧ。」主ㄓㄨˇ持ㄔˊ人ㄖㄣˊ說ㄕㄨㄛ。

一ㄧ個ㄍㄜ星ㄒㄧㄥ期ㄑㄧ後ㄏㄡˋ，一ㄧ家ㄐㄧㄚ十ㄕˊ口ㄎㄡˇ回ㄏㄨㄟˊ到ㄉㄠˋ家ㄐㄧㄚ裡ㄌㄧˇ，他ㄊㄚ們ㄇㄣ簡ㄐㄧㄢˇ直ㄓˊ不ㄅㄨˋ敢ㄍㄢˇ相ㄒㄧㄤ信ㄒㄧㄣˋ自ㄗˋ己ㄐㄧˇ的ㄉㄜ眼ㄧㄢˇ睛ㄐㄧㄥ。原ㄩㄢˊ來ㄌㄞˊ，這ㄓㄜˋ個ㄍㄜ星ㄒㄧㄥ期ㄑㄧ裡ㄌㄧˇ，工ㄍㄨㄥ人ㄖㄣˊ進ㄐㄧㄣˋ進ㄐㄧㄣˋ出ㄔㄨ出ㄔㄨ，他ㄊㄚ們ㄇㄣ不ㄅㄨˋ僅ㄐㄧㄣˇ改ㄍㄞˇ變ㄅㄧㄢˋ了ㄌㄜ隔ㄍㄜˊ間ㄐㄧㄢ，也ㄧㄝˇ重ㄔㄨㄥˊ新ㄒㄧㄣ油ㄧㄡˊ漆ㄑㄧ。客ㄎㄜˋ廳ㄊㄧㄥ裝ㄓㄨㄤ潢ㄏㄨㄤˊ後ㄏㄡˋ換ㄏㄨㄢˋ了ㄌㄜ新ㄒㄧㄣ的ㄉㄜ地ㄉㄧˋ毯ㄊㄢˇ，還ㄏㄞˊ買ㄇㄞˇ了ㄌㄜ全ㄑㄩㄢˊ新ㄒㄧㄣ的ㄉㄜ家ㄐㄧㄚ具ㄐㄩˋ。「太ㄊㄞˋ不ㄅㄨˋ可ㄎㄜˇ思ㄙ議ㄧˋ了ㄌㄜ，太ㄊㄞˋ感ㄍㄢˇ謝ㄒㄧㄝˋ

了。」正當提莎和家人感激得熱淚盈眶時，還有一個更大的驚喜——一輛十二人座的大車子緩緩開了過來。主持人笑著說：「這輛車子也是送給你們的，以後可以全家出遊了。」

「許多人一起努力，促成了一個令人驚喜的耶誕節。」主持人說：「最後，我們來問提莎一個問題：『為什麼家都住不下了，你還願意再領養三個孩子呢？』」「因為……」，提莎緩緩的說：「我自己就是在孤兒院裡長大的。」

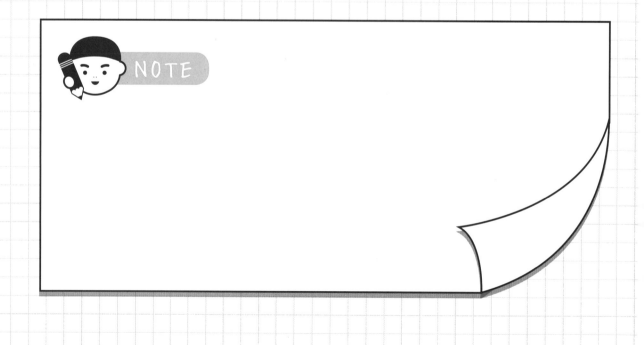

7 忠ㄓㄨㄥˋ犬ㄑㄩㄢˇ小ㄒㄧㄠˇ八ㄅㄚ

 看ㄎㄢˋ圖ㄊㄨˊ想ㄒㄧㄤˇ一一想ㄒㄧㄤˇ

1. 你ㄋㄧˇ在ㄗㄞˋ圖ㄊㄨˊ片ㄆㄧㄢˋ中ㄓㄨㄥ看ㄎㄢˋ到ㄉㄠˋ什ㄕㄣˊ麼ㄇㄜ重ㄓㄨㄥˋ要ㄧㄠˋ訊ㄒㄩㄣˋ息ㄒㄧ（人ㄖㄣˊ、事ㄕˋ、物ㄨˋ）？

2. 你ㄋㄧˇ覺ㄐㄩㄝˊ得ㄉㄜ小ㄒㄧㄠˇ八ㄅㄚ和ㄏㄢˋ這ㄓㄜˋ位ㄨㄟˋ先ㄒㄧㄢ生ㄕㄥ是ㄕˋ什ㄕㄣˊ麼ㄇㄜ關ㄍㄨㄢ係ㄒㄧˋ？為ㄨㄟˋ什ㄕㄣˊ麼ㄇㄜ？

看圖讀一讀

忠犬小八

1

最愛動物的上野教授，帶了一隻小狗回家。他抱著牠說：「你以後就叫小八吧。」

2

小八長大以後，身體粗大、尾巴捲起，看起來十分強壯。

3

小ㄒㄧㄠˇ八ㄅㄚ很ㄏㄣˇ嚴ㄧㄢˊ肅ㄙㄨˋ，不ㄅㄨˋ太ㄊㄞˋ叫ㄐㄧㄠˋ，不ㄅㄨˋ太ㄊㄞˋ笑ㄒㄧㄠˋ，也ㄧㄝˇ不ㄅㄨˋ像ㄒㄧㄤˋ一ㄧˋ般ㄅㄢ小ㄒㄧㄠˇ狗ㄍㄡˇ那ㄋㄚˋ樣ㄧㄤˋ的ㄉㄜ˙追ㄓㄨㄟ逐ㄓㄨˊ、遊ㄧㄡˊ戲ㄒㄧˋ。牠ㄊㄚ唯ㄨㄟˊ一ㄧˋ關ㄍㄨㄢ心ㄒㄧㄣ的ㄉㄜ˙，就ㄐㄧㄡˋ是ㄕˋ牠ㄊㄚ的ㄉㄜ˙主ㄓㄨˇ人ㄖㄣˊ。

4

每ㄇㄟˇ天ㄊㄧㄢ早ㄗㄠˇ上ㄕㄤˋ，主ㄓㄨˇ人ㄖㄣˊ提ㄊㄧˊ著ㄓㄜ˙皮ㄆㄧˊ包ㄅㄠ說ㄕㄨㄛ：「上ㄕㄤˋ班ㄅㄢ囉ㄌㄛ˙！」小ㄒㄧㄠˇ八ㄅㄚ會ㄏㄨㄟˋ立ㄌㄧˋ刻ㄎㄜˋ搖ㄧㄠˊ尾ㄨㄟˇ巴ㄅㄚ˙，跟ㄍㄣ著ㄓㄜ˙主ㄓㄨˇ人ㄖㄣˊ走ㄗㄡˇ過ㄍㄨㄛˋ大ㄉㄚˋ街ㄐㄧㄝ小ㄒㄧㄠˇ巷ㄒㄧㄤˋ。

5

一ㄧˋ直ㄓˊ護ㄏㄨˋ送ㄙㄨㄥˋ主ㄓㄨˇ人ㄖㄣˊ走ㄗㄡˇ進ㄐㄧㄣˋ了ㄌㄜ˙電ㄉㄧㄢˋ車ㄔㄜ車ㄔㄜ站ㄓㄢˋ，小ㄒㄧㄠˇ八ㄅㄚ才ㄘㄞˊ掉ㄉㄧㄠˋ頭ㄊㄡˊ回ㄏㄨㄟˊ家ㄐㄧㄚ。

6

每ㄇㄟˇ天ㄊㄧㄢ傍ㄅㄤ晚ㄨㄢˇ，小ㄒㄧㄠˇ八ㄅㄚ又ㄧㄡˋ從ㄘㄨㄥˊ家ㄐㄧㄚ門ㄇㄣˊ出ㄔㄨ發ㄈㄚ，五ㄨˇ點ㄉㄧㄢˇ整ㄓㄥˇ，到ㄉㄠˋ達ㄉㄚˊ車ㄔㄜ站ㄓㄢˋ準ㄓㄨㄣˇ備ㄅㄟˋ迎ㄧㄥˊ接ㄐㄧㄝ主ㄓㄨˇ人ㄖㄣˊ。牠ㄊㄚ像ㄒㄧㄤˋ鬧ㄋㄠˋ鐘ㄓㄨㄥ一ㄧˊ樣ㄧㄤˋ的ㄉㄜ˙準ㄓㄨㄣˇ時ㄕˊ。

7

等ㄉㄥˇ到ㄉㄠˋ主ㄓㄨˇ人ㄖㄣˊ出ㄔㄨ站ㄓㄢˋ時ㄕˊ，小ㄒㄧㄠˇ八ㄅㄚ會ㄏㄨㄟˋ立ㄌㄧˋ刻ㄎㄜˋ撲ㄆㄨ上ㄕㄤˋ去ㄑㄩˋ，想ㄒㄧㄤˇ要ㄧㄠˋ舔ㄊㄧㄢˇ牠ㄊㄚ最ㄗㄨㄟˋ親ㄑㄧㄣ愛ㄞˋ的ㄉㄜ主ㄓㄨˇ人ㄖㄣˊ，這ㄓㄜˋ是ㄕˋ牠ㄊㄚ一ㄧ天ㄊㄧㄢ中ㄓㄨㄥ最ㄗㄨㄟˋ快ㄎㄨㄞˋ樂ㄌㄜˋ的ㄉㄜ時ㄕˊ刻ㄎㄜˋ。

8

不ㄅㄨˋ幸ㄒㄧㄥˋ的ㄉㄜ是ㄕˋ，有ㄧㄡˇ一ㄧ天ㄊㄧㄢ小ㄒㄧㄠˇ八ㄅㄚ的ㄉㄜ主ㄓㄨˇ人ㄖㄣˊ在ㄗㄞˋ大ㄉㄚˋ學ㄒㄩㄝˊ裡ㄌㄧˇ心ㄒㄧㄣ臟ㄗㄤˋ病ㄅㄧㄥˋ發ㄈㄚ作ㄗㄨㄛˋ，倒ㄉㄠˋ在ㄗㄞˋ地ㄉㄧˋ上ㄕㄤˋ，再ㄗㄞˋ也ㄧㄝˇ沒ㄇㄟˊ有ㄧㄡˇ醒ㄒㄧㄥˇ過ㄍㄨㄛˋ來ㄌㄞˊ。

9

當ㄉㄤ天ㄊㄧㄢ，小ㄒㄧㄠˇ八ㄅㄚ沒ㄇㄟˊ有ㄧㄡˇ等ㄉㄥˇ到ㄉㄠˋ主ㄓㄨˇ人ㄖㄣˊ，牠ㄊㄚ不ㄅㄨˋ知ㄓ道ㄉㄠˋ主ㄓㄨˇ人ㄖㄣˊ發ㄈㄚ生ㄕㄥ了ㄌㄜ什ㄕㄣˊ麼ㄇㄜ事ㄕˋ。

10

第ㄉㄧˋ二ㄦˋ天ㄊㄧㄢ下ㄒㄧㄚˋ午ㄨˇ五ㄨˇ點ㄉㄧㄢˇ，牠ㄊㄚ又ㄧㄡˋ在ㄗㄞˋ車ㄔㄜ站ㄓㄢˋ出ㄔㄨ現ㄒㄧㄢˋ，還ㄏㄞˊ是ㄕˋ沒ㄇㄟˊ有ㄧㄡˇ等ㄉㄥˇ到ㄉㄠˋ主ㄓㄨˇ人ㄖㄣˊ，牠ㄊㄚ嗚ㄨ嗚ㄨ的ㄉㄜ哭ㄎㄨ了ㄌㄜ起ㄑㄧˇ來ㄌㄞˊ。

11

下雨天，牠等；下雪天，牠也等。牠一天一天的等下去，一個月一個月的等下去，一年一年的等下去。

12

小八等了十年。牠從一隻年輕漂亮且神采奕奕的狗，變成一隻耳朵下垂、走路蹣跚，滿身髒兮兮的老狗。

13

在某個冷天裡，下午五點，十一歲的小八掙扎著走到車站時，就在車站旁邊，腳一軟，再也站不起來。

14

車站裡的工作人員都認識牠。許多人衝出來，把牠抱到一塊木板和草蓆上，希望牠不要睡在冰冷的地上。

十ㄕ幾ㄐㄧˇ個ㄍㄜˋ人ㄖㄣˊ圍ㄨㄟˊ著ㄓㄜ˙小ㄒㄧㄠˇ八ㄅㄚ，替ㄊㄧˋ牠ㄊㄚ禱ㄉㄠˇ告ㄍㄠˋ，希ㄒㄧ望ㄨㄤˋ牠ㄊㄚ趕ㄍㄢˇ快ㄎㄨㄞˋ康ㄎㄤ復ㄈㄨˋ。但ㄉㄢˋ牠ㄊㄚ實ㄕˊ在ㄗㄞˋ太ㄊㄞˋ老ㄌㄠˇ了ㄌㄜ˙，過ㄍㄨㄛˋ不ㄅㄨˋ了ㄌㄧㄠˇ多ㄉㄨㄛ久ㄐㄧㄡˇ，就ㄐㄧㄡˋ永ㄩㄥˇ遠ㄩㄢˇ閉ㄅㄧˋ上ㄕㄤˋ了ㄌㄜ˙牠ㄊㄚ的ㄉㄜ˙眼ㄧㄢˇ睛ㄐㄧㄥ。

為ㄨㄟˋ了ㄌㄜ˙紀ㄐㄧˋ念ㄋㄧㄢˋ這ㄓㄜˋ一ㄧ段ㄉㄨㄢˋ人ㄖㄣˊ狗ㄍㄡˇ間ㄐㄧㄢ的ㄉㄜ˙友ㄧㄡˇ誼ㄧˋ，後ㄏㄡˋ來ㄌㄞˊ東ㄉㄨㄥ京ㄐㄧㄥ的ㄉㄜ˙一ㄧ所ㄙㄨㄛˇ大ㄉㄚˋ學ㄒㄩㄝˊ，為ㄨㄟˋ小ㄒㄧㄠˇ八ㄅㄚ和ㄏㄜˊ上ㄕㄤˋ野ㄧㄝˇ教ㄐㄧㄠˋ授ㄕㄡˋ塑ㄙㄨˋ了ㄌㄜ˙一ㄧ個ㄍㄜˋ重ㄔㄨㄥˊ逢ㄈㄥˊ的ㄉㄜ˙銅ㄊㄨㄥˊ像ㄒㄧㄤˋ。

小ㄒㄧㄠˇ八ㄅㄚ撲ㄆㄨ到ㄉㄠˋ教ㄐㄧㄠˋ授ㄕㄡˋ的ㄉㄜ˙身ㄕㄣ上ㄕㄤˋ，主ㄓㄨˇ人ㄖㄣˊ的ㄉㄜ˙手ㄕㄡˇ握ㄨㄛˋ住ㄓㄨˋ小ㄒㄧㄠˇ八ㄅㄚ的ㄉㄜ˙前ㄑㄧㄢˊ腳ㄐㄧㄠˇ，眼ㄧㄢˇ睛ㄐㄧㄥ對ㄉㄨㄟˋ視ㄕˋ著ㄓㄜ˙彼ㄅㄧˇ此ㄘˇ。小ㄒㄧㄠˇ八ㄅㄚ終ㄓㄨㄥ於ㄩˊ笑ㄒㄧㄠˋ了ㄌㄜ˙。對ㄉㄨㄟˋ小ㄒㄧㄠˇ八ㄅㄚ來ㄌㄞˊ說ㄕㄨㄛ，這ㄓㄜˋ裡ㄌㄧˇ就ㄐㄧㄡˋ是ㄕˋ天ㄊㄧㄢ堂ㄊㄤˊ了ㄌㄜ˙吧ㄅㄚ。

忠犬小八

最愛動物的上野教授，帶了一隻小狗回家。他抱著牠說：「你以後就叫小八吧。」

小八長大以後，身體粗大、尾巴捲起，看起來十分強壯。小八很嚴肅，不太叫，不太笑，也不像一般小狗那樣的追逐、遊戲。牠唯一關心的，就是牠的主人。每天早上，主人提著皮包說：「上班囉！」小八會立刻搖尾巴，跟著主人走過大街小巷。一直護送主人走進了電車車站，小八才掉頭回家。每天傍晚，小八又從家門出發，五點整，到達車站準備迎接主人。牠像鬧鐘一樣的準時。等到主人出站時，小八會立刻撲上去，想要舔牠最親愛的主人，這是牠一天中最快樂的時刻。

不幸的是，有一天小八的主人在大學裡心臟病發作，倒在地上，再也沒有醒過來。當天，小八沒有等到主人，牠不知道主人發生了什麼事。第二天下午五點，牠又在車站出現，還是沒有等到主人，牠嗚嗚的哭了起來。下雨天，牠等；下雪天，牠也等。牠一天一天的等下去，一個月一個月的等下去，一年一年的等下去。小八等了十年。牠從一隻年輕漂亮且神采奕奕的狗，變成一隻耳朵下垂、走路蹣跚，滿身髒兮兮的老狗。

在某個冷天裡，下午五點，十一歲的小八掙扎著走到車站時，就在車站旁邊，腳一軟，再也站不起來。車站裡的工作人員都認識牠。許多人衝出來，把牠抱到一塊木板和草蓆上，希望牠不要睡在冰冷的地上。十幾個人圍著小八，替牠禱告，希望牠趕快康復。但牠實在太老了，過不了多久，就永遠閉上了牠的眼睛。

為了紀念這一段人狗間的友誼，後來東京的一所大學，為小八和上野教授塑了一個重逢的銅像。小八撲到教授的身上，主人的手握住小八的前腳，眼睛對視著彼此。小八終於笑了。對小八來說，這裡就是天堂了吧。

8 「恩ㄣ恩ㄣ」相ㄒㄧㄤ報ㄅㄠˋ

 看ㄎㄢˋ圖ㄊㄨˊ想ㄒㄧㄤˇ一一想ㄒㄧㄤˇ

1. 圖ㄊㄨˊ中ㄓㄨㄥ有ㄧㄡˇ幾ㄐㄧˇ萬ㄨㄢˋ顆ㄎㄜ的ㄉㄜ巧ㄑㄧㄠˇ克ㄎㄜˋ力ㄌㄧˋ球ㄑㄧㄡˊ在ㄗㄞˋ斜ㄒㄧㄝˊ坡ㄆㄛ上ㄕㄤˋ滾ㄍㄨㄣˇ動ㄉㄨㄥˋ，你ㄋㄧˇ想ㄒㄧㄤˇ參ㄘㄢ加ㄐㄧㄚ這ㄓㄜˋ個ㄍㄜˋ活ㄏㄨㄛˊ動ㄉㄨㄥˋ嗎ㄇㄚ？

2. 辦ㄅㄢˋ這ㄓㄜˋ樣ㄧㄤˋ的ㄉㄜ活ㄏㄨㄛˊ動ㄉㄨㄥˋ一一定ㄉㄧㄥˋ要ㄧㄠˋ花ㄏㄨㄚ很ㄏㄣˇ多ㄉㄨㄛ錢ㄑㄧㄢˊ，誰ㄕㄟˊ會ㄏㄨㄟˋ出ㄔㄨ這ㄓㄜˋ些ㄒㄧㄝ錢ㄑㄧㄢˊ呢ㄋㄜ？

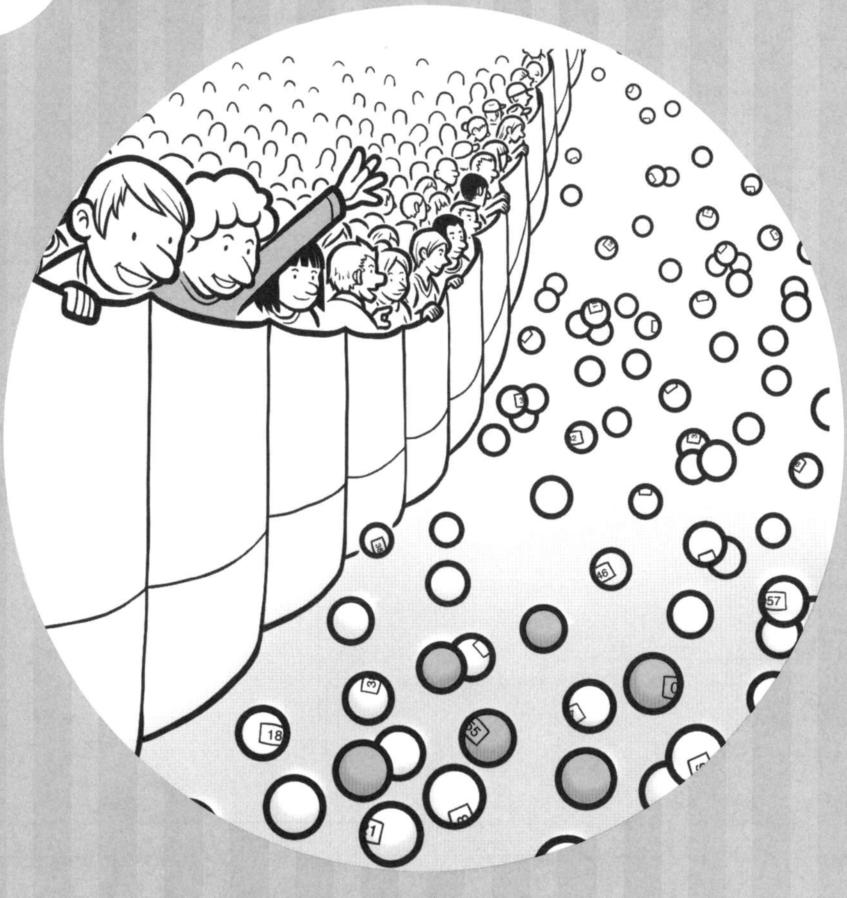

「恩ㄣ恩ㄣ」相ㄒㄧㄤ報ㄅㄠˋ

1

紐ㄋㄧㄡˇ西ㄒㄧ蘭ㄌㄢˊ有ㄧㄡˇ一ㄧ條ㄊㄧㄠˊ非ㄈㄟ常ㄔㄤˊ非ㄈㄟ常ㄔㄤˊ陡ㄉㄡˇ的ㄉㄜ街ㄐㄧㄝ，

2

它ㄊㄚ是ㄕˋ孩ㄏㄞˊ子ㄗˇ們ㄇㄣ˙放ㄈㄤˋ學ㄒㄩㄝˊ後ㄏㄡˋ騎ㄑㄧˊ腳ㄐㄧㄠˇ踏ㄊㄚˋ車ㄔㄜ體ㄊㄧˇ驗ㄧㄢˋ速ㄙㄨˋ度ㄉㄨˋ的ㄉㄜ樂ㄌㄜˋ園ㄩㄢˊ。

3

這條街上有一家吉百利巧克力工廠，因為孩子們愛吃巧克力，這個小工廠慢慢變成一個大工廠。

4

工廠老闆對孩子們心存感激，他心裡總想著：「我要怎樣報答孩子們呢？」

5

終於在 2002 年，他利用這條陡街，舉辦了第一次「奔跑的巧克力大賽」。

6

他將上萬個巧克力球編號，一顆賣一塊錢，再從陡街的最高處傾倒下去。

7

許許多多的巧克力球沿街滾下，誰的球最快滾到終點，誰就可以得到小禮物。

8

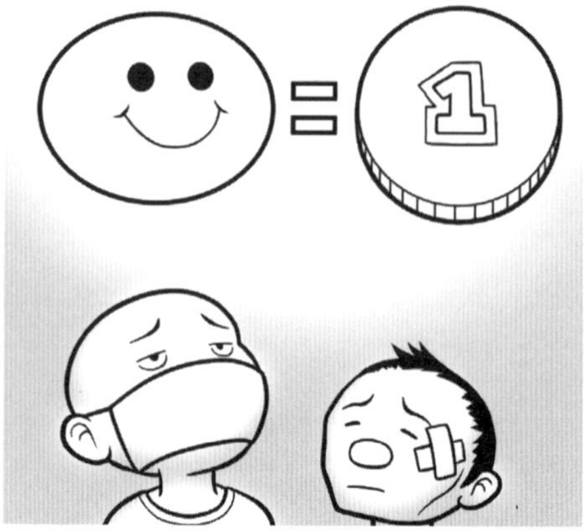

而一顆巧克力球一塊錢的收入，正好可以幫助貧窮的孩子，或生重病的孩子。

9

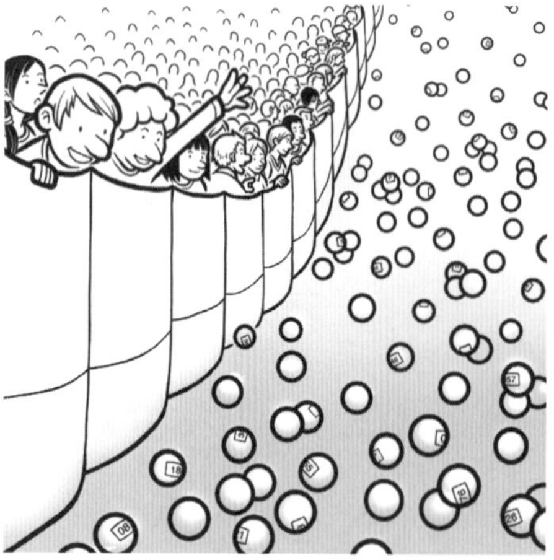

這麼刺激、好玩又有意義的活動，第一年就吸引了上千人參加。

10

2016年居然來了一萬五千人。好多好多的巧克力球，像瀑布一樣狂奔而下。

11

十五年來，這個活動已經募得一百萬元，幫助了許多孩子——包括正與絕症搏鬥的孩子。

12

然而，巧克力工廠卻在 2017 年意外的宣布倒閉。

13

原來巧克力原料一年比一年貴，舉辦「奔跑的巧克力大賽」讓老闆賠了太多的錢。

14

「老闆，停辦吧，我們都快破產了!」早就有員工建議他。

15

老闆卻說：「不行！雖然我們很困難，但是有許多孩子更困難。我們繼續舉辦。」

16

紐西蘭人都被老闆感動了，紛紛捐錢給這家公司，兩天內，一共募得四百萬元。

17

吉百利巧克力工廠終於度過難關，老闆為此泣不成聲，不停的感謝。

18

報紙登出這篇感恩圖報的故事，讀完後，每個人心裡，都湧出像巧克力一樣的香濃甜蜜呢！

「恩恩」相報

紐西蘭有一條非常非常陡的街，它是孩子們放學後騎腳踏車體驗速度的樂園。這條街上有一家吉百利巧克力工廠，因為孩子們愛吃巧克力，這個小工廠慢慢變成一個大工廠。

工廠老闆對孩子們心存感激，他心裡總想著：「我要怎樣報答孩子們呢？」終於在 2002 年，他利用這條陡街，舉辦了第一次「奔跑的巧克力大賽」。他將上萬個巧克力球編號，一顆賣一塊錢，再從陡街的最高處傾倒下去。許許多多的巧克力球沿街滾下，誰的球最快滾到終點，誰就可以得到小禮物。而一顆巧克力球一塊錢的收入，正好可以幫助貧窮的孩子，或生重病的孩子。這麼刺激、好玩又有意義的活動，第一年就吸引了上千人參加。2016 年居然來了一萬五千人。好多好多的巧克力球，像瀑布一樣狂奔而下。

十五年來，這個活動已經募得一百萬元，幫助了許多孩子——包括正與絕症搏鬥的孩子。然而，巧克力工廠卻在 2017 年意外的宣布倒閉。原來巧克力原料一年比一年貴，舉辦「奔跑的巧克力大賽」讓老闆賠了太多的錢。「老闆，停辦吧，我們都快破產了！」早就有員工建議他。老闆卻說：「不行！雖然我們很困難，但是有許多孩子更困難。我們繼續舉辦。」

紐西蘭人都被老闆感動了，紛紛捐錢給這家公司，兩天內，一共募得四百萬元。吉百利巧克力工廠終於度過難關，老闆為此泣不成聲，不停的感謝。報紙登出這篇感恩圖報的故事，讀完後，每個人心裡，都湧出像巧克力一樣的香濃甜蜜呢！

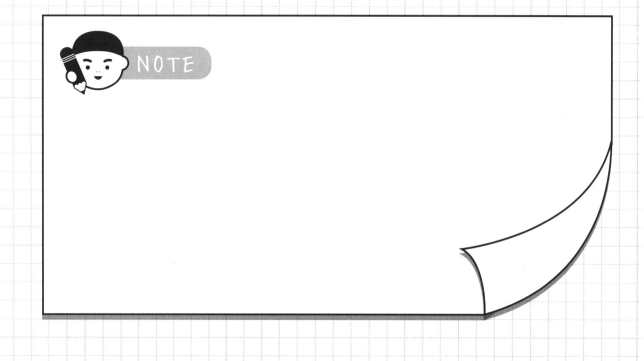

9 鐵ㄊㄧㄝˇ人ㄖㄣˊ修ㄒㄧㄡ女ㄋㄩˇ

看ㄎㄢˋ圖ㄊㄨˊ想ㄒㄧㄤˇ一一想ㄒㄧㄤˇ

1. 你ㄋㄧˇ在ㄗㄞˋ圖ㄊㄨˊ片ㄆㄧㄢˋ中ㄓㄨㄥ看ㄎㄢˋ到ㄉㄠˋ什ㄕㄣˊ麼ㄇㄜ重ㄓㄨㄥˋ要ㄧㄠˋ訊ㄒㄩㄣˋ息ㄒㄧ（人ㄖㄣˊ、事ㄕˋ、物ㄨˋ）？

2. 你ㄋㄧˇ覺ㄐㄩㄝˊ得ㄉㄜ瑪ㄇㄚˇ當ㄉㄤ娜ㄋㄚˋ看ㄎㄢˋ起ㄑㄧˇ來ㄌㄞˊ怎ㄗㄣˇ麼ㄇㄜ樣ㄧㄤˋ？為ㄨㄟˋ什ㄕㄣˊ麼ㄇㄜ？

看圖讀一讀

鐵人修女

1

瑪當娜是一位修女，她參加過四十六次「鐵人三項」比賽。

2

鐵人三項運動是由長距離的游泳、騎自行車和跑步組成。

1500公尺

每ㄇㄟˇ一ㄧ次ㄘˋ參ㄘㄢ加ㄐㄧㄚ標ㄅㄧㄠ準ㄓㄨㄣˇ的ㄉㄜ˙鐵ㄊㄧㄝˇ人ㄖㄣˊ三ㄙㄢ項ㄒㄧㄤ比ㄅㄧˇ賽ㄙㄞˋ，瑪ㄇㄚˇ當ㄉㄤ娜ㄋㄚˋ和ㄏㄜˊ所ㄙㄨㄛˇ有ㄧㄡˇ的ㄉㄜ˙選ㄒㄩㄢˇ手ㄕㄡˇ一ㄧ樣ㄧㄤˋ，必ㄅㄧˋ須ㄒㄩ先ㄒㄧㄢ游ㄧㄡˊ泳ㄩㄥˇ一ㄧ千ㄑㄧㄢ五ㄨˇ百ㄅㄞˇ公ㄍㄨㄥ尺ㄔˇ。

氣ㄑㄧˋ喘ㄔㄨㄢˇ吁ㄒㄩ吁ㄒㄩ上ㄕㄤˋ岸ㄢˋ之ㄓ後ㄏㄡˋ，再ㄗㄞˋ來ㄌㄞˊ要ㄧㄠˋ騎ㄑㄧˊ上ㄕㄤˋ自ㄗˋ行ㄒㄧㄥˊ車ㄔㄜ，在ㄗㄞˋ公ㄍㄨㄥ路ㄌㄨˋ上ㄕㄤˋ奔ㄅㄣ馳ㄔˊ四ㄙˋ十ㄕˊ公ㄍㄨㄥ里ㄌㄧˇ。

40公里

最ㄗㄨㄟˋ後ㄏㄡˋ，還ㄏㄞˊ要ㄧㄠˋ路ㄌㄨˋ跑ㄆㄠˇ十ㄕˊ公ㄍㄨㄥ里ㄌㄧˇ。

10公里

144
BUDER

每ㄇㄟˇ一ㄧ位ㄨㄟˋ選ㄒㄩㄢˇ手ㄕㄡˇ都ㄉㄡ要ㄧㄠˋ具ㄐㄩˋ備ㄅㄟˋ鋼ㄍㄤ鐵ㄊㄧㄝˇ一ㄧ般ㄅㄢ的ㄉㄜ˙體ㄊㄧˇ力ㄌㄧˋ和ㄏㄜˊ意ㄧˋ志ㄓˋ力ㄌㄧˋ，才ㄘㄞˊ可ㄎㄜˇ能ㄋㄥˊ完ㄨㄢˊ成ㄔㄥˊ比ㄅㄧˇ賽ㄙㄞˋ。

7

所ㄙㄨㄛˇ有ㄧㄡˇ的ㄉㄜ˙鐵ㄊㄧㄝˇ人ㄖㄣˊ們ㄇㄣˊ，為ㄨㄟˋ了ㄌㄜ˙參ㄘㄢ加ㄐㄧㄚ比ㄅㄧˇ賽ㄙㄞˋ，需ㄒㄩ要ㄧㄠˋ大ㄉㄚˋ量ㄌㄧㄤˋ的ㄉㄜ˙練ㄌㄧㄢˋ習ㄒㄧˊ。

8

瑪ㄇㄚˇ當ㄉㄤ娜ㄋㄚˋ也ㄧㄝˇ不ㄅㄨˋ例ㄌㄧˋ外ㄨㄞˋ。她ㄊㄚ把ㄅㄚˇ訓ㄒㄩㄣˋ練ㄌㄧㄢˋ融ㄖㄨㄥˊ入ㄖㄨˋ每ㄇㄟˇ日ㄖˋ的ㄉㄜ˙生ㄕㄥ活ㄏㄨㄛˊ，

9

她ㄊㄚ每ㄇㄟˇ天ㄊㄧㄢ早ㄗㄠˇ上ㄕㄤˋ會ㄏㄨㄟˋ長ㄔㄤˊ跑ㄆㄠˇ去ㄑㄩˋ教ㄐㄧㄠˋ會ㄏㄨㄟˋ；

10

每ㄇㄟˇ天ㄊㄧㄢ在ㄗㄞˋ湖ㄏㄨˊ裡ㄌㄧˇ練ㄌㄧㄢˋ習ㄒㄧˊ游ㄧㄡˊ泳ㄩㄥˇ；

11

每天騎自行車六十四公里，相當於從臺北市騎到宜蘭市。

12

2005年，美國的夏威夷有一場非常辛苦、非常困難的「超級鐵人大賽。」

13

選手要游四公里，要騎自行車一百八十公里，還要跑馬拉松四十二公里。

14

選手必須在十七小時之內完成，但瑪當娜只用了十六小時，當年，她已經七十五歲了。

15

她不是每一次都成功，有一次她跌斷了骨頭，躺在家裡休養了很久才康復。

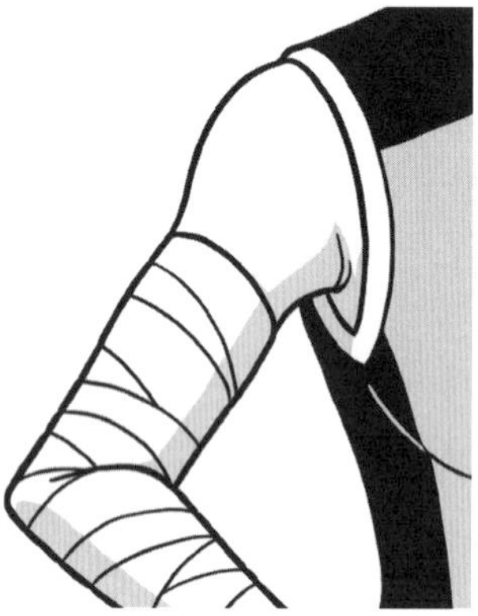

16

2014 年她在夏威夷大賽失敗，有人以為她會因此放棄鐵人三項，

17

但她並沒有打退堂鼓，她說：「唯一的失敗就是放棄嘗試，贏得掌聲並不是我的目的，努力本身就是一種成功和獎賞。」

18

她六十五歲第一次完成鐵人三項比賽，今年她八十六歲了，是有史以來最年長的鐵人。

鐵人修女

瑪當娜是一位修女，她參加過四十六次「鐵人三項」比賽。鐵人三項運動是由長距離的游泳、騎自行車和跑步組成。每一次參加標準的鐵人三項比賽，瑪當娜和所有的選手一樣，必須先游泳一千五百公尺。氣喘吁吁上岸之後，再來要騎上自行車，在公路上奔馳四十公里。最後，還要路跑十公里。每一位選手都要具備鋼鐵一般的體力和意志力，才可能完成比賽。

所有的鐵人們，為了參加比賽，需要大量的練習。瑪當娜也不例外。她把訓練融入每日的生活，她每天早上會長跑去教會；每天在湖裡練習游泳；每天騎自行車六十四公里，相當於從臺北市騎到宜蘭市。

2005 年，美國的夏威夷有一場非常辛苦、非常困難的「超級鐵人大賽」。選手要游四公里，要騎自行車一百八十公里，還要跑馬拉松四十二公里。選手必須在十七小時之內完成，但瑪當娜只用了十六小時，當年，她已經七十五歲了。

她不是每一次都成功，有一次她跌斷了骨頭，躺在家裡休養了很久才康復。2014 年她在夏威夷大賽失敗，有人以為她會因此放棄鐵人三項，但她並沒有打退堂鼓，她說：「唯一的失敗就是放棄嘗試，贏得掌聲並不是我的目的，努力本身就是一種成功和獎賞。」她六十五歲第一次完成鐵人三項比賽，今年她八十六歲了，是有史以來最年長的鐵人。

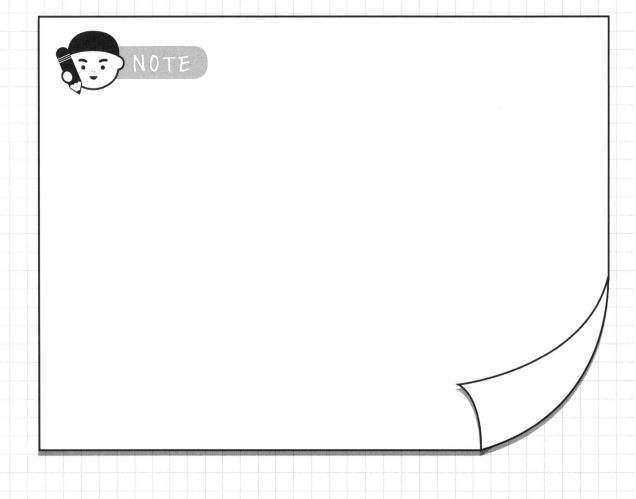

10 你ㄋㄧˇ敢ㄍㄢˇ喝ㄏㄜ 馬ㄇㄚˇ桶ㄊㄨㄥˇ水ㄕㄨㄟ嗎ㄇㄚ？

看ㄎㄢˋ圖ㄊㄨˊ想ㄒㄧㄤˇ一一ㄧˋ想ㄒㄧㄤˇ

1. 你ㄋㄧˇ在ㄗㄞˋ圖ㄊㄨˊ片ㄆㄧㄢˋ中ㄓㄨㄥ看ㄎㄢˋ到ㄉㄠˋ什ㄕㄣˊ麼ㄇㄜ重ㄓㄨㄥˋ要ㄧㄠˋ訊ㄒㄩㄣˋ息ㄒㄧˊ（人ㄖㄣˊ、事ㄕˋ、物ㄨˋ）？

2. 為ㄨㄟˋ什ㄕㄣˊ麼ㄇㄜ老ㄌㄠˇ清ㄑㄧㄥ潔ㄐㄧㄝˊ工ㄍㄨㄥ敢ㄍㄢˇ喝ㄏㄜ馬ㄇㄚˇ桶ㄊㄨㄥˇ水ㄕㄨㄟˇ？

看圖讀一讀

你敢喝馬桶水嗎？

1

野田聖子是日本人，她大學畢業後進入東京帝國大飯店工作，這是全日本最高級的飯店。

2

飯店經理說：「聖子，你的工作是去房間鋪床、整理垃圾、掃廁所。」

3

聖子心想：「好不容易才進來這間飯店，我要好好表現才行。」

4

聖子很努力，她到房間鋪床，想要做到盡善盡美；

5

她整理垃圾，想要做到盡善盡美；

6

她清掃廁所，想要做到盡善盡美。

7

但是，廁所是客人大小便的地方，每次掃廁所，聖子會想：「我是個大學畢業生，為什麼要在這裡刷馬桶？」

8

想到這裡，她的笑臉變成臭臉，好像剛剛吃了大便的樣子。

9

一旁工作的老清潔工對聖子說：「年輕人，打起精神！」

10

老清潔工把馬桶洗得亮晶晶，她說：「我刷洗過的馬桶最乾淨了。」

11

說完，就從馬桶裡舀一杯水，喝了下去：「乾淨得連馬桶水都可以喝呢！」。

12

聖子看得目瞪口呆：「我能做到像她一樣的程度嗎？」

13

她下定決心，要學習老清潔工的敬業態度。

14

每次洗完馬桶，她也自問：「這馬桶水乾淨到能喝嗎？」

15

有一天，飯店經理和長官們來考核聖子的工作成果，

16

她從刷好的馬桶裡舀出一杯水喝下去，讓所有的長官看得目瞪口呆。

17

之後，聖子帶著敬業的態度，努力把每一件事做到盡善盡美，成為全飯店表現最佳的員工。

18

十二年後，聖子獲得賞識，被首相聘請，成為日本第一位擔任郵政大臣的女性，當年她才三十七歲。

你敢喝馬桶水嗎？

野田聖子是日本人，她大學畢業後進入東京帝國大飯店工作，這是全日本最高級的飯店。

飯店經理說：「聖子，你的工作是去房間鋪床、整理垃圾、掃廁所。」聖子心想：「好不容易才進來這間飯店，我要好好表現才行。」聖子很努力，她到房間鋪床，想要做到盡善盡美；她整理垃圾，想要做到盡善盡美；她清掃廁所，想要做到盡善盡美。但是，廁所是客人大小便的地方，每次掃廁所，聖子會想：「我是個大學畢業生，為什麼要在這裡刷馬桶？」想到這裡，她的笑臉變成臭臉，好像剛剛吃了大便的樣子。

一旁工作的老清潔工對聖子說：「年輕人，打起精神！」老清潔工把馬桶洗得亮晶晶，她說：「我刷洗過的馬桶最乾淨了。」說完，就從馬桶裡舀一杯水，喝了下去：「乾淨得連馬桶水都可以喝呢！」。聖子看得目瞪口呆：「我能做到像她一樣的程度嗎？」她下定決心，要學習老清潔工的敬業態度。

每次洗完馬桶，她也自問：「這馬桶水乾淨到能喝嗎？」有一天，飯店經理和長官們來考核聖子的工作成果，她從刷好的馬桶裡舀出一杯水喝下去，讓所有的長官看得目瞪口呆。

之後，聖子帶著敬業的態度，努力把每一件事做到盡善盡美，成為全飯店表現最佳的員工。十二年後，聖子獲得賞識，被首相聘請，成為日本第一位擔任郵政大臣的女性，當年她才三十七歲。

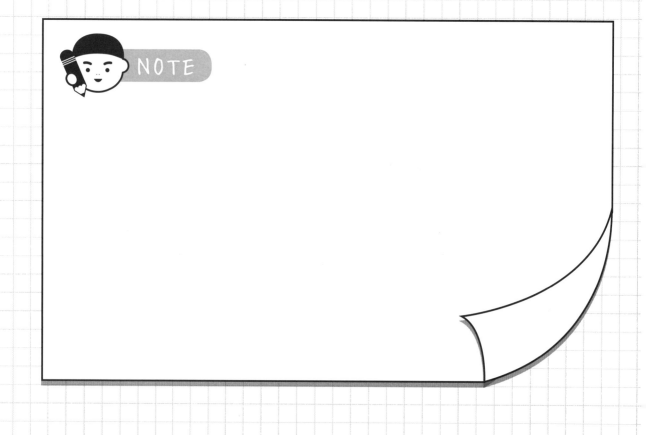

11 發明家愛迪生

看圖想一想

1. 你在圖片中看到什麼重要訊息（人、事、物）？
2. 你覺得愛迪生旁邊的物品跟他有什麼關係？為什麼？

看圖讀一讀

發明家愛迪生

1

愛迪生是一位偉大的發明家，一生發明的品項超過兩千多種。

2

他小時候對萬物十分好奇，又超愛發問，不斷的問為什麼。

3

有一次上數學課，愛迪生問：「為什麼一加一等於二呢？」老師張口結舌，實在不知道怎麼回答。

4

愛迪生去學校上課不到三個月，老師把愛迪生的媽媽找來，

5

對她說：「這孩子是低能兒，總是問一些可笑的問題，讓我們很困擾，你還是把他帶回家吧！」

6

媽媽很氣老師推卸責任，決定自己教愛迪生。

7

愛ˋ迪ˊ生ㄥ不ㄅㄨˋ僅ㄐㄧㄣˇ愛ˋ發ㄈㄚ問ㄨㄣˋ，也ㄧㄝˇ喜ㄒㄧˇ歡ㄏㄨㄢ親ㄑㄧㄣ自ㄗˋ做ㄗㄨㄛˋ做ㄗㄨㄛˋ看ㄎㄢˋ。有ㄧㄡˇ一ㄧ次ㄘˋ他ㄊㄚ問ㄨㄣˋ媽ㄇㄚ媽ㄇㄚ：「為ㄨㄟˋ什ㄕㄣˊ麼ㄇㄜ母ㄇㄨˇ雞ㄐㄧ總ㄗㄨㄥˇ是ˋ坐ㄗㄨㄛˋ在ㄗㄞˋ雞ㄐㄧ蛋ㄉㄢˋ上ㄕㄤˋ呢ㄋㄜ？」

8

媽ㄇㄚ媽ㄇㄚ告ㄍㄠˋ訴ㄙㄨˋ他ㄊㄚ答ㄉㄚˊ案ㄢˋ後ㄏㄡˋ，愛ˋ迪ˊ生ㄥ也ㄧㄝˇ學ㄒㄩㄝˊ母ㄇㄨˇ雞ㄐㄧ孵ㄈㄨ蛋ㄉㄢˋ，結ㄐㄧㄝ果ㄍㄨㄛˇ壓ㄧㄚ碎ㄙㄨㄟˋ了ㄌㄜ一ㄧ窩ㄨㄛ蛋ㄉㄢˋ。

9

有ㄧㄡˇ一ㄧ次ㄘˋ，媽ㄇㄚ媽ㄇㄚ告ㄍㄠˋ訴ㄙㄨˋ他ㄊㄚ毛ㄇㄠˊ皮ㄆㄧˊ摩ㄇㄛˊ擦ㄘㄚ可ㄎㄜˇ以ㄧˇ生ㄕㄥ電ㄉㄧㄢˋ，

10

愛ˋ迪ˊ生ㄥ很ㄏㄣˇ興ㄒㄧㄥ奮ㄈㄣˋ的ㄉㄜ抓ㄓㄨㄚ兩ㄌㄧㄤˇ隻ㄓ貓ㄇㄠ來ㄌㄞˊ嘗ㄔㄤˊ試ㄕˋ，結ㄐㄧㄝ果ㄍㄨㄛˇ被ㄅㄟˋ貓ㄇㄠ瘋ㄈㄥ狂ㄎㄨㄤˊ亂ㄌㄨㄢˋ抓ㄓㄨㄚ、落ㄌㄨㄛˋ得ㄉㄜˊ滿ㄇㄢˇ身ㄕㄣ是ˋ傷ㄕㄤ。

11

十二歲的愛迪生開始在火車上當報童，賣報紙和糖果，他也把實驗材料搬上火車，一邊工作一邊做實驗，

12

不料，實驗出了差錯，車廂燒了，他的工作也沒了。

13

二十一歲後，愛迪生憑著對機械的了解及精良的維修技術，研發出各種電器用品，慢慢的闖出名號。

14

三十二歲時，愛迪生成立了自己的實驗發明中心，陸續發明了複印機、電影攝影機，改良電話機、留聲機等。

15

愛迪生說：「我沒有一項發明是碰巧得來的，這都是百分之一的靈感和百分之九十九的汗水換來的。

16

就像最知名電燈泡的發明，是一點靈感加上一千六百多次的嘗試才成功的。」

17

又好奇又愛發問的愛迪生，一輩子保持著他的好奇心，永遠都在問為什麼。

18

在不斷嘗試及努力後，他終於成為最偉大的發明家。

發明家愛迪生

愛迪生是一位偉大的發明家，一生發明的品項超過兩千多種。他小時候對萬物十分好奇，又超愛發問，不斷的問為什麼。有一次上數學課，愛迪生問：「為什麼一加一等於二呢？」老師張口結舌，實在不知道怎麼回答。愛迪生去學校上課不到三個月，老師把愛迪生的媽媽找來，對她說：「這孩子是低能兒，總是問一些可笑的問題，讓我們很困擾，你還是把他帶回家吧！」媽媽很氣老師推卸責任，決定自己教愛迪生。

愛迪生不僅愛發問，也喜歡親自做做看。有一次他問媽媽：「為什麼母雞總是坐在雞蛋上呢？」媽媽告訴他答案後，愛迪生也學母雞孵蛋，結果壓碎了一窩蛋。有一次，媽媽告訴他毛皮摩擦可以生電，愛迪生很興奮的抓兩隻貓來嘗試，結果被貓瘋狂亂抓、落得滿身是傷。十二歲的愛迪生開始在火車上當報童，賣報紙和糖果，他也把實驗材料搬上火車，一邊工作一邊做實驗，不料，實驗出了差錯，車廂燒了，他的工作也沒了。二十一歲後，愛迪生憑著對機械的了解及精良的維修技術，研發出各種電器用品，慢慢的闖出名號。三十二歲時，愛迪生成立了自己的實驗發明中心，陸續發明了複印機、電影攝影機，改良電話機、留聲機等。

愛迪生說：「我沒有一項發明是碰巧得來的，這都是百分之一的靈感和百分之九十九的汗水換來的。就像最知名電燈泡的發明，是一點靈感加上一千六百多次的嘗試才成功的。」又好奇又愛發問的愛迪生，一輩子保持著他的好奇心，永遠都在問為什麼。在不斷嘗試及努力後，終於成為最偉大的發明家。

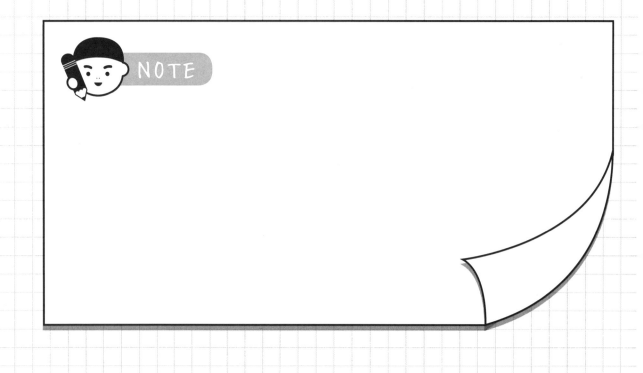

12 飛機撞上馴鹿

看圖想一想

1. 你在圖片中看到什麼重要訊息（事、物）？
2. 你覺得看起來發生了什麼事？

看圖讀一讀

飛機撞上馴鹿

1

每年大約會有一百多架飛機失事，造成很多死傷。

2

為了能預防飛機失事，有一群科學家專門研究失事的原因。

有ㄧㄡˇ的ㄉㄜ˙飛ㄈㄟ機ㄐㄧ是ㄕˋ因ㄧㄣ為ㄨㄟˋ機ㄐㄧ械ㄒㄧㄝˋ故ㄍㄨˋ障ㄓㄤˋ而ㄦˊ失ㄕ事ㄕˋ；

有ㄧㄡˇ的ㄉㄜ˙飛ㄈㄟ機ㄐㄧ是ㄕˋ因ㄧㄣ為ㄨㄟˋ暴ㄅㄠˋ風ㄈㄥ雨ㄩˇ而ㄦˊ失ㄕ事ㄕˋ；

有ㄧㄡˇ的ㄉㄜ˙飛ㄈㄟ機ㄐㄧ則ㄗㄜˊ是ㄕˋ因ㄧㄣ為ㄨㄟˋ受ㄕㄡˋ到ㄉㄠˋ「鳥ㄋㄧㄠˇ擊ㄐㄧ」而ㄦˊ失ㄕ事ㄕˋ——有ㄧㄡˇ大ㄉㄚˋ型ㄒㄧㄥˊ的ㄉㄜ˙鳥ㄋㄧㄠˇ類ㄌㄟˋ撞ㄓㄨㄤˋ到ㄉㄠˋ飛ㄈㄟ機ㄐㄧ了ㄌㄜ˙。

飛ㄈㄟ機ㄐㄧ的ㄉㄜ˙速ㄙㄨˋ度ㄉㄨˋ很ㄏㄣˇ快ㄎㄨㄞˋ，鳥ㄋㄧㄠˇ的ㄉㄜ˙速ㄙㄨˋ度ㄉㄨˋ也ㄧㄝˇ很ㄏㄣˇ快ㄎㄨㄞˋ。

7

鳥撞到飛機之後，立刻血肉模糊，飛機上只能找到一點點血肉。

8

動物學家必須仔細分析這一點點血肉，才能判斷這是什麼鳥。

9

常見的鳥擊有鴿子、雁鴨和老鷹。

10

有一次，一架美國的飛機失事了。

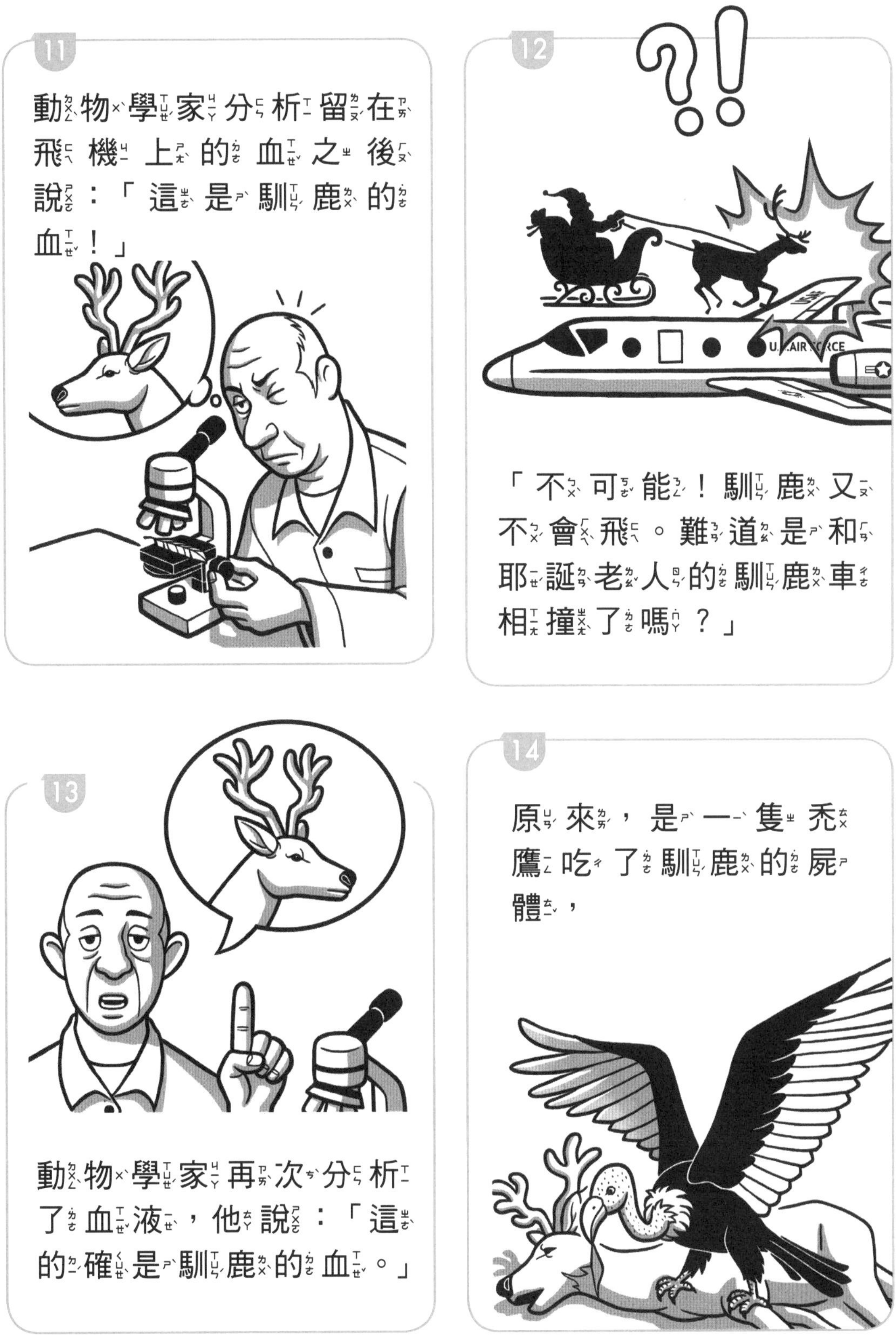
11
動物學家分析留在飛機上的血之後說：「這是馴鹿的血！」
12
?!
「不可能！馴鹿又不會飛。難道是和耶誕老人的馴鹿車相撞了嗎？」
13
動物學家再次分析了血液，他說：「這的確是馴鹿的血。」
14
原來，是一隻禿鷹吃了馴鹿的屍體，

15

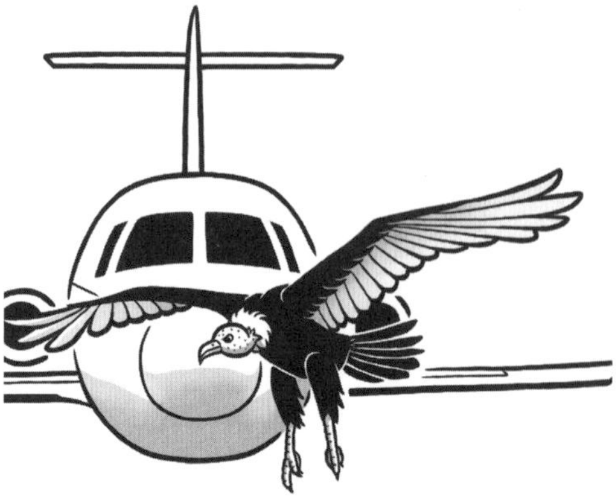

然後飛到高空和飛機相撞了。

16

還有一次失事，飛機上的血居然是魚的血。

17

難道魚會飛嗎？你來猜猜看這是怎麼回事？

飛機撞上馴鹿

每年大約會有一百多架飛機失事，造成很多死傷。為了能預防飛機失事，有一群科學家專門研究失事的原因。有的飛機是因為機械故障而失事；有的飛機是因為暴風雨而失事；有的飛機則是因為受到「鳥擊」而失事——有大型的鳥類撞到飛機了。

飛機的速度很快，鳥的速度也很快。鳥撞到飛機之後，立刻血肉模糊，飛機上只能找到一點點血肉。動物學家必須仔細分析這一點點血肉，才能判斷這是什麼鳥。常見的鳥擊有鴿子、雁鴨和老鷹。

有一次，一架美國的飛機失事了。動物學家分析留在飛機上的血之後說：「這是馴鹿的血！」「不可能！馴鹿又不會飛。難道是和耶誕老人的馴鹿車相撞了嗎？」動物學家再次分析了血液，他說：「這的確是馴鹿的血。」

原來，是一隻禿鷹吃了馴鹿的屍體，然後飛到高空和飛機相撞了。還有一次失事，飛機上的血居然是魚的血。難道魚會飛嗎？你來猜猜看這是怎麼回事？

NOTE

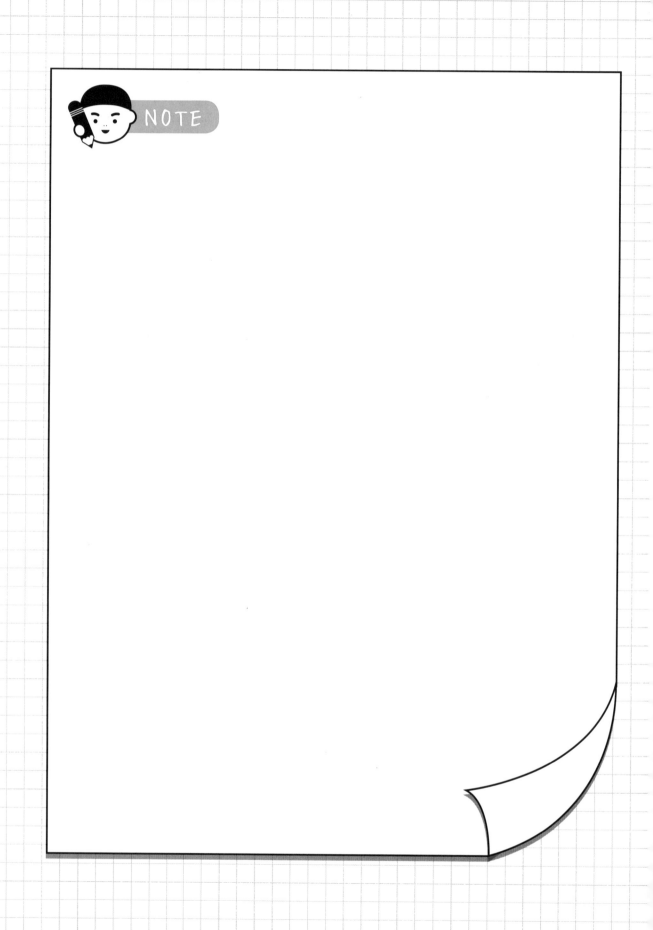

13 皮膚也有嗅覺，可以聞味道

看圖想一想

1. 你在圖片中看到什麼重要訊息（人、事、物）？
2. 你覺得什麼東西跑進手和鼻子裡？猜猜看手和鼻子有什麼相同的地方？

看圖讀一讀

皮膚也有嗅覺，可以聞味道

1

當營養午餐煮好時，你是怎麼知道的呢？

2

當然是用聞的！如果鼻子沒鼻塞，你就會聞到香噴噴的飯菜香。

3

但ㄉㄢˋ如ㄖㄨˊ果ㄍㄨㄛˇ鼻ㄅㄧˊ塞ㄙㄞ了ㄌㄜ˙呢ㄋㄜ˙？是ㄕˋ不ㄅㄨˊ是ㄕˋ就ㄐㄧㄡˋ聞ㄨㄣˊ不ㄅㄨˋ到ㄉㄠˋ了ㄌㄜ˙呢ㄋㄜ˙？那ㄋㄚˋ可ㄎㄜˇ不ㄅㄨˋ一ㄧˋ定ㄉㄧㄥˋ。

4

有ㄧㄡˇ一ㄧˋ群ㄑㄩㄣˊ潛ㄑㄧㄢˊ水ㄕㄨㄟˇ夫ㄈㄨ想ㄒㄧㄤˇ潛ㄑㄧㄢˊ到ㄉㄠˋ很ㄏㄣˇ深ㄕㄣ的ㄉㄜ˙水ㄕㄨㄟˇ底ㄉㄧˇ，拍ㄆㄞ攝ㄕㄜˋ美ㄇㄟˇ麗ㄌㄧˋ的ㄉㄜ˙珊ㄕㄢ瑚ㄏㄨˊ礁ㄐㄧㄠ。

5

他ㄊㄚ們ㄇㄣ˙必ㄅㄧˋ須ㄒㄩ穿ㄔㄨㄢ潛ㄑㄧㄢˊ水ㄕㄨㄟˇ裝ㄓㄨㄤ潛ㄑㄧㄢˊ入ㄖㄨˋ九ㄐㄧㄡˇ公ㄍㄨㄥ尺ㄔˇ深ㄕㄣ的ㄉㄜ˙地ㄉㄧˋ方ㄈㄤ，

6

當ㄉㄤ他ㄊㄚ們ㄇㄣ˙接ㄐㄧㄝ近ㄐㄧㄣˋ珊ㄕㄢ瑚ㄏㄨˊ礁ㄐㄧㄠ時ㄕˊ，率ㄌㄩˋ先ㄒㄧㄢ嗅ㄒㄧㄡˋ到ㄉㄠˋ一ㄧˋ股ㄍㄨˇ臭ㄔㄡˋ味ㄨㄟˋ，

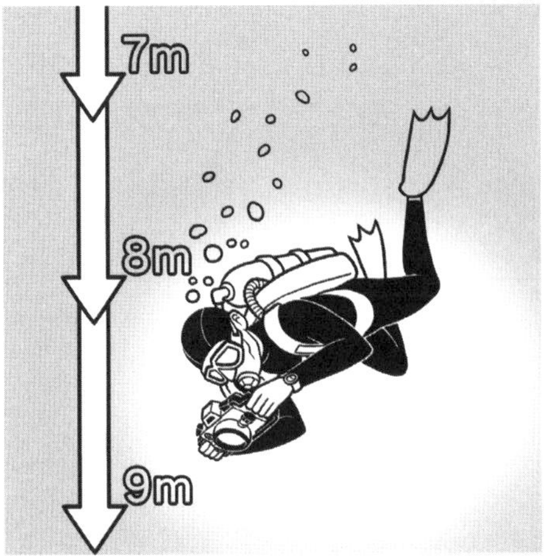

7

這個臭味是細菌造成的，味道就像壞掉的雞蛋，

8

但是，潛水夫都穿著潛水裝，

9

他們戴著專業的面鏡，口含呼吸管，鼻子也都封起來，口鼻全都和外界隔離了。

10

「口鼻和外界隔離，那怎麼會聞到水中的味道呢？」大家懷疑的問。

11

「我們在潛水的過程中，一直聞到一股臭味。」潛水夫們異口同聲的說。

12

「看來，這個臭味不可能是由鼻子呼吸時聞到的。」大家大膽的假設。

13

科學家針對這個現象做了仔細的分析。

14

他們分析鼻子和皮膚的細胞，

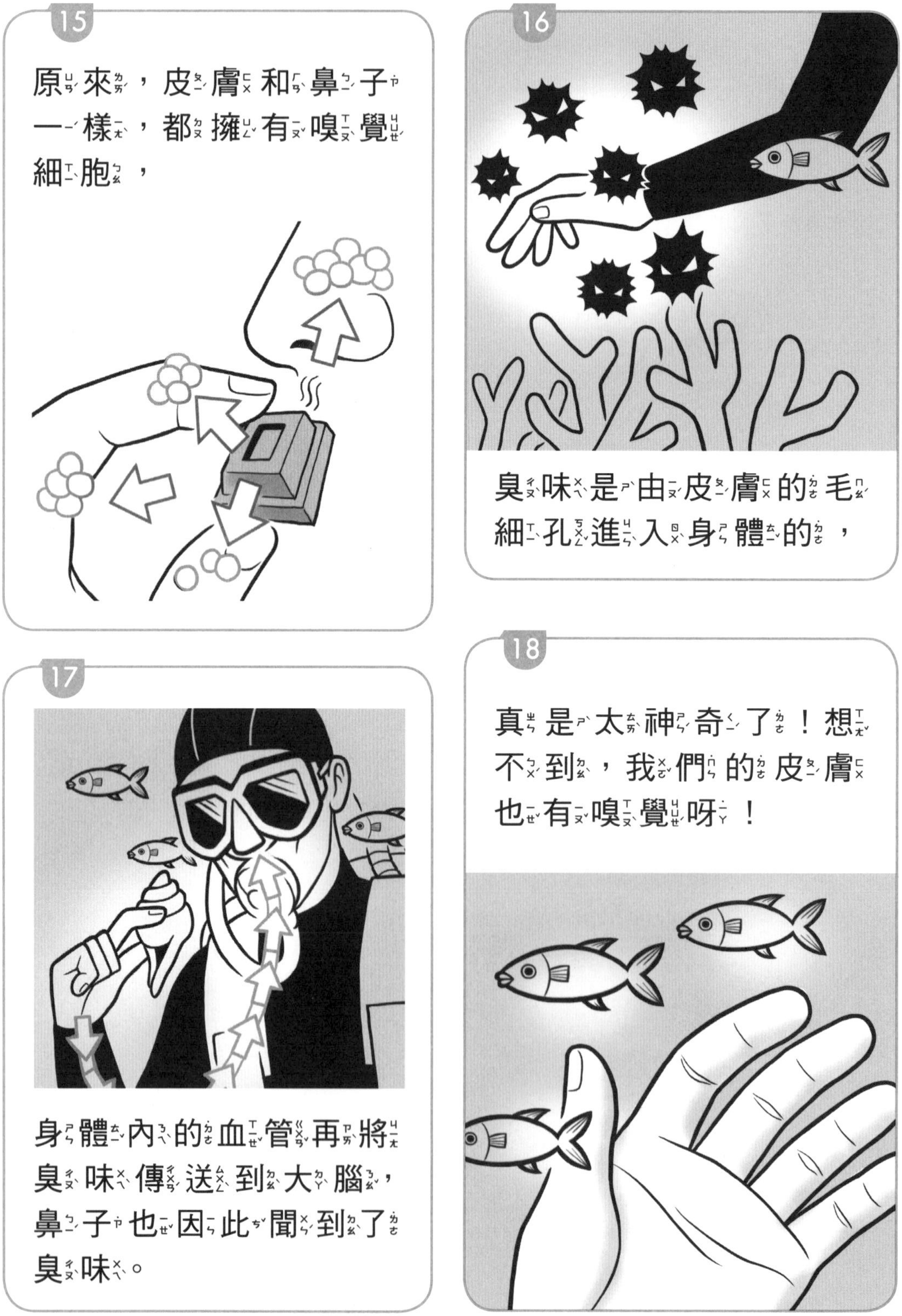
15
原來，皮膚和鼻子一樣，都擁有嗅覺細胞，
16
臭味是由皮膚的毛細孔進入身體的，
17
身體內的血管再將臭味傳送到大腦，鼻子也因此聞到了臭味。
18
真是太神奇了！想不到，我們的皮膚也有嗅覺呀！

皮膚也有嗅覺，可以聞味道

當營養午餐煮好時，你是怎麼知道的呢？當然是用聞的！如果鼻子沒鼻塞，你就會聞到香噴噴的飯菜香。但如果鼻塞了呢？是不是就聞不到了呢？那可不一定。

有一群潛水夫想潛到很深的水底，拍攝美麗的珊瑚礁。他們必須穿潛水裝潛入九公尺深的地方，當他們接近珊瑚礁時，率先嗅到一股臭味，這個臭味是細菌造成的，味道就像壞掉的雞蛋，但是，潛水夫都穿著潛水裝，他們戴著專業的面鏡，口含呼吸管，鼻子也都封起來，口鼻全都和外界隔離了。「口鼻和外界隔離，那怎麼會聞到水中的味道呢？」大家懷疑的問。「我們在潛水的過程中，一直聞到一股臭味。」潛水夫們異口同聲的說。

「看來，這個臭味不可能是由鼻子呼吸時聞到的。」大家大膽的假設。科學家針對這個現象做了仔細的分析。他們分析鼻子和皮膚的細胞，原來，皮膚和鼻子一樣，都擁有嗅覺細胞，臭味是由皮膚的毛細孔進入身體的，身體內的血管再將臭味傳送到大腦，鼻子也因此聞到了臭味。真是太神奇了！想不到，我們的皮膚也有嗅覺呀！

14 真的有火星人嗎？

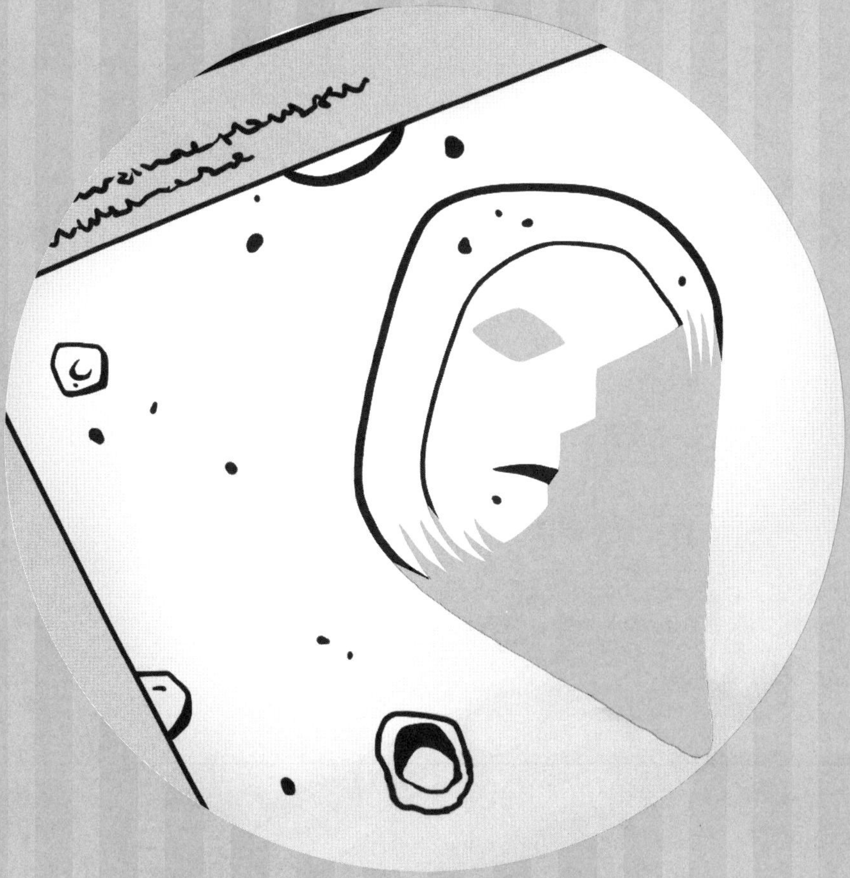

看圖想一想

1. 你從上面的火星相片看到了什麼？
2. 火星上怎麼會有人臉？是誰製造的呢？

看圖讀一讀

真的有火星人嗎？

1

火星，是夏天的夜空中引人注目的一顆星，總閃爍著暗紅色的光芒。

火星
Mars

2

在古老的傳說中，火星是不吉祥的，會帶來戰爭、疾病和死亡。

3

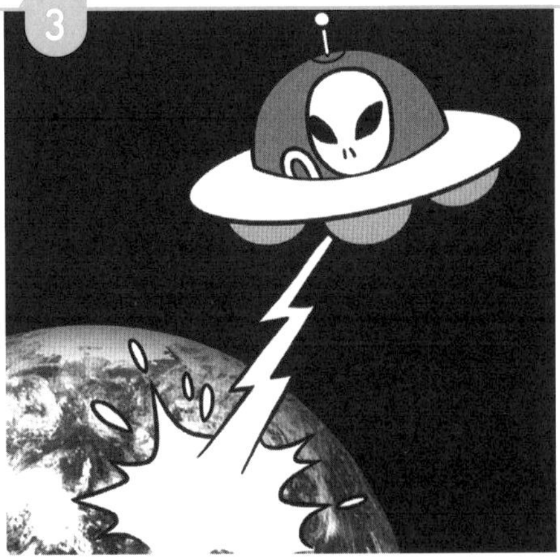

近年，更有人認為火星上有外星人，他們擁有高科技，還會駕著飛碟來攻打地球。

4

1976 年，美國的太空船維京一號，在太空中航行了三百三十五天，終於抵達火星附近。

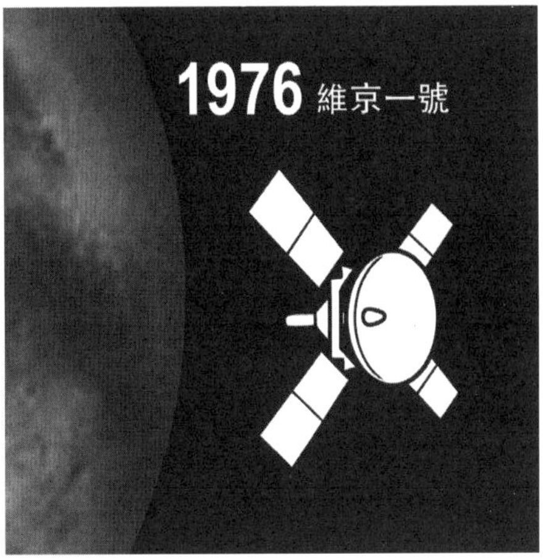

5

船上的照相機開始日以繼夜的拍照，並且不斷的把相片傳回地球。

6

科學家在成千上萬的相片裡頭，發現一張不可思議的相片。

7

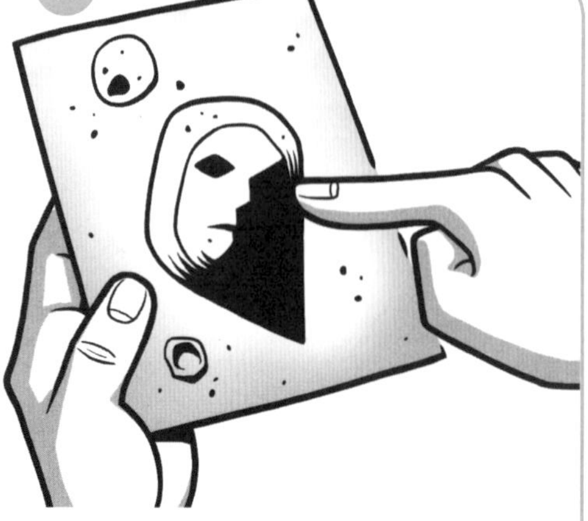

「你們看，這裡有一張人的臉！」一位科學家拿著相片大喊。

8

那真的是一張臉，很大的臉。有三公里長、一公里寬。

9

這張相片立刻傳遍了全世界，報紙的頭條新聞用大字寫著：「真的有火星人嗎？」

10

還有雜誌、收音機、電視新聞裡，全都是這張臉的相片。

11

大街小巷都在討論，這個人臉是怎麼來的。

12

「火星上頭一定有火星人！」有人認為這張人臉是火星上高等智慧生物建造的。

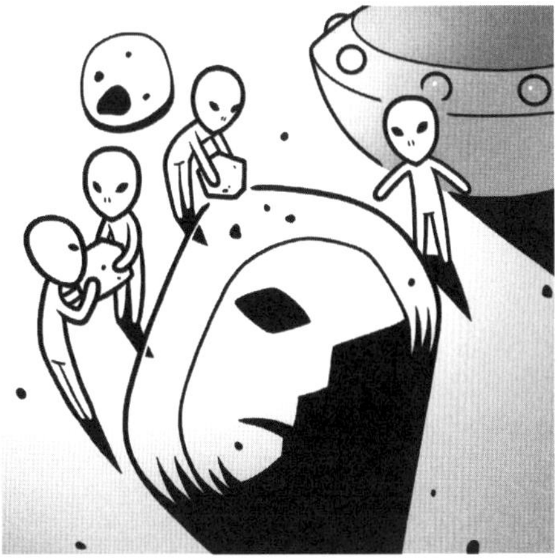

13

但也有人認為：「火星沒有空氣，沒有水，不可能有火星人啦！」

14

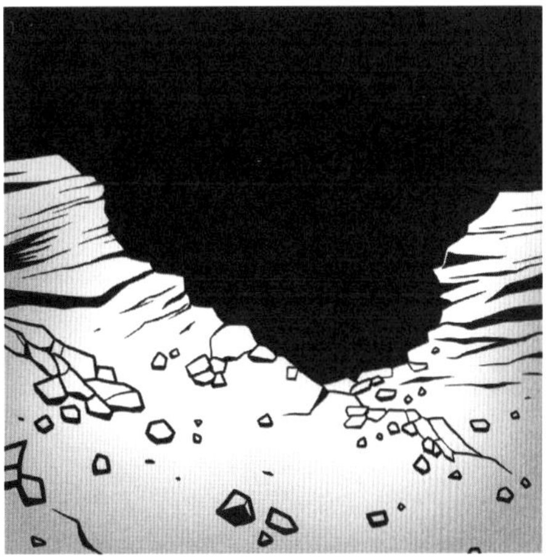

並推測那只是一座土丘，是天然的地理景觀，碰巧看起來像人臉而已。

2001 年ⁿ，又ㄧㄡˋ有ㄧㄡˇ一ㄧ艘ㄙㄠ太ㄊㄞ空ㄎㄨㄥ船ㄔㄨㄢˊ飛ㄈㄟ到ㄉㄠˋ火ㄏㄨㄛˇ星ㄒㄧㄥ。這ㄓㄜˋ次ㄘˋ，它ㄊㄚ用ㄩㄥˋ更ㄍㄥˋ新ㄒㄧㄣ、更ㄍㄥˋ清ㄑㄧㄥ楚ㄔㄨˇ的ㄉㄜ照ㄓㄠˋ相ㄒㄧㄤˋ機ㄐㄧ，把ㄅㄚˇ這ㄓㄜˋ張ㄓㄤ人ㄖㄣˊ臉ㄌㄧㄢˇ仔ㄗˇ仔ㄗˇ細ㄒㄧˋ細ㄒㄧˋ的ㄉㄜ再ㄗㄞˋ照ㄓㄠˋ了ㄌㄜ一ㄧ次ㄘˋ相ㄒㄧㄤˋ。

結ㄐㄧㄝˊ果ㄍㄨㄛˇ，科ㄎㄜ學ㄒㄩㄝˊ家ㄐㄧㄚ們ㄇㄣ說ㄕㄨㄛ：「這ㄓㄜˋ是ㄕˋ光ㄍㄨㄤ線ㄒㄧㄢˋ和ㄏㄜˊ影ㄧㄥˇ子ㄗˇ造ㄗㄠˋ成ㄔㄥˊ錯ㄘㄨㄛˋ覺ㄐㄩㄝˊ，讓ㄖㄤˋ人ㄖㄣˊ以ㄧˇ為ㄨㄟˊ它ㄊㄚ是ㄕˋ一ㄧ張ㄓㄤ人ㄖㄣˊ臉ㄌㄧㄢˇ，但ㄉㄢˋ它ㄊㄚ真ㄓㄣ的ㄉㄜ只ㄓˇ是ㄕˋ一ㄧ座ㄗㄨㄛˋ小ㄒㄧㄠˇ土ㄊㄨˇ山ㄕㄢ而ㄦˊ已ㄧˇ。」

NOTE

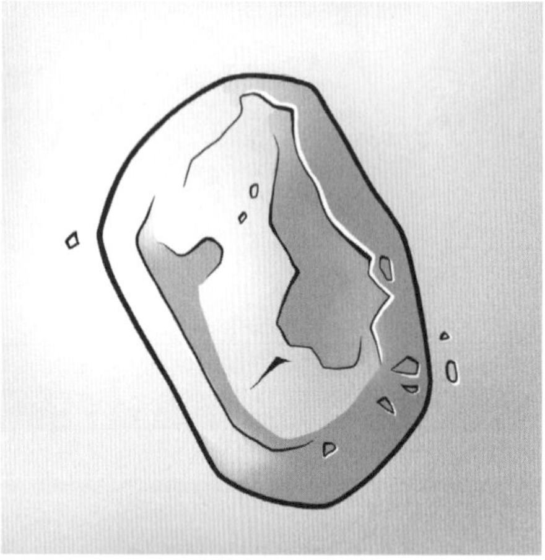

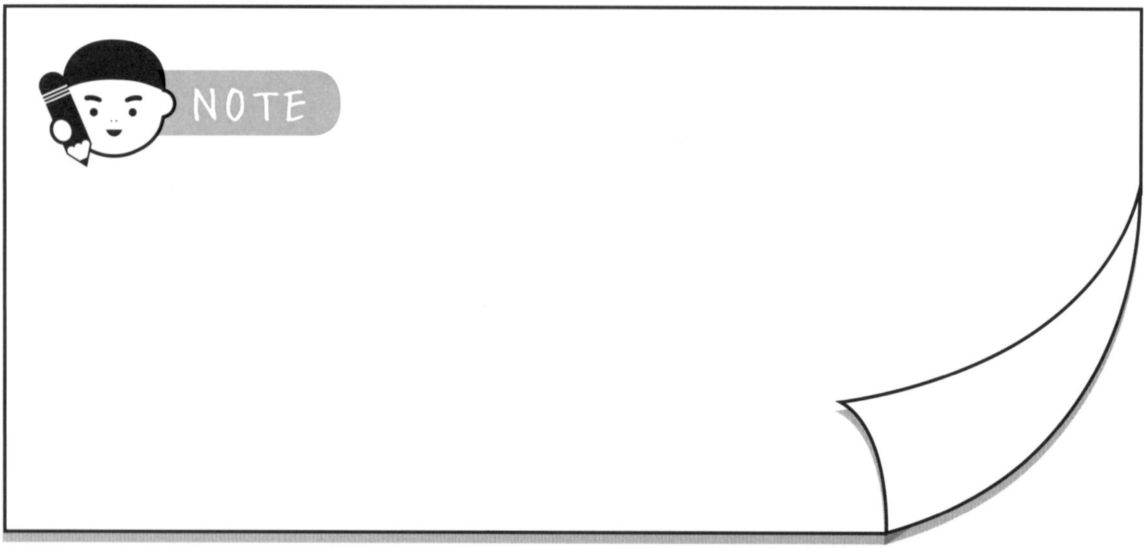

真的有火星人嗎？

火星，是夏天的夜空中引人注目的一顆星，總閃爍著暗紅色的光芒。在古老的傳說中，火星是不吉祥的，會帶來戰爭、疾病和死亡。近年，更有人認為火星上有外星人，他們擁有高科技，還會駕著飛碟來攻打地球。

1976 年，美國的太空船維京一號，在太空中航行了三百三十五天，終於抵達火星附近。船上的照相機開始日以繼夜的拍照，並且不斷的把相片傳回地球。科學家在成千上萬的相片裡頭，發現一張不可思議的相片。「你們看，這裡有一張人的臉！」一位科學家拿著相片大喊。那真的是一張臉，很大的臉。有三公里長、一公里寬。這張相片立刻傳遍了全世界，報紙的頭條新聞用大字寫著：「真的有火星人嗎？」還有雜誌、收音機、電視新聞裡，全都是這張臉的相片。大街小巷都在討論，這個人臉是怎麼來的。

「火星上頭一定有火星人！」有人認為這張人臉是火星上高等智慧生物建造的。但也有人認為：「火星沒有空氣，沒有水，不可能有火星人啦！」並推測那只是一座土丘，是天然的地理景觀，碰巧看起來像人臉而已。

2001 年，又有一艘太空船飛到火星。這次，它用更新、更清楚的照相機，把這張人臉仔仔細細的再照了一次相。結果，科學家們說：「這是光線和影子造成錯覺，讓人以為它是一張人臉，但它真的只是一座小土山而已。」

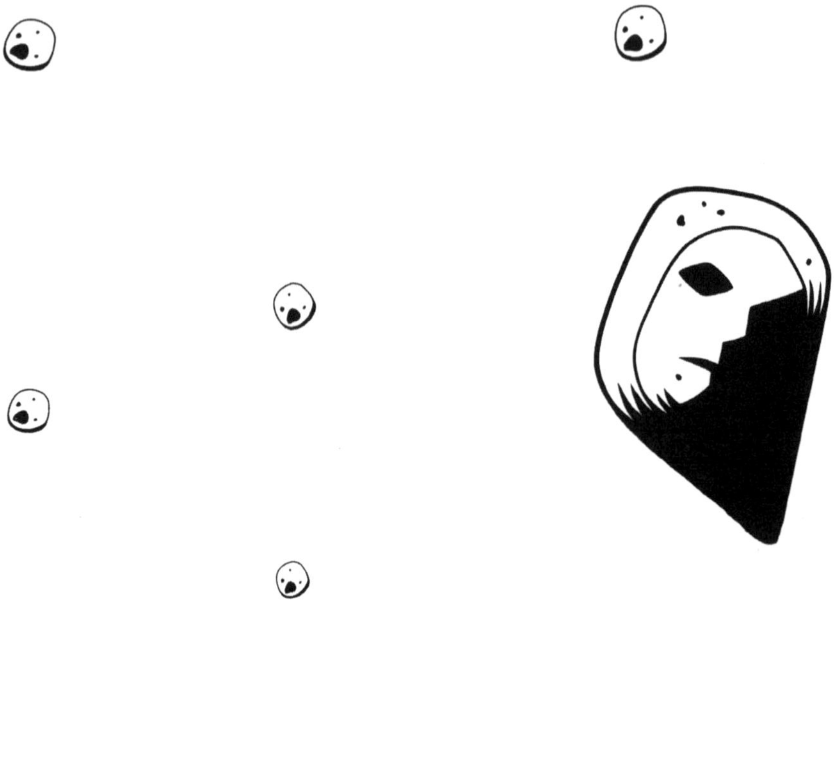

晨讀 10 分鐘系列 035

[小學生]晨讀10分鐘

漫畫語文故事集

故事文本篇

作者｜曾世杰

漫畫｜章1、2、3、4、6、8、9、12、13、14　胡覺隆；
章5、7、10、11　呂家豪

責任編輯｜楊琇珊

封面、版面設計｜林家蓁

電腦排版｜中原造像股份有限公司

行銷企劃｜陳雅婷

天下雜誌群創辦人｜殷允芃

董事長兼執行長｜何琦瑜

媒體暨產品事業群

總經理｜游玉雪

副總經理｜林彥傑

總編輯｜林欣靜

行銷總監｜林育菁

主編｜李幼婷

版權主任｜何晨瑋、黃微真

出版者｜親子天下股份有限公司

地址｜台北市 104 建國北路一段 96 號 4 樓

電話｜（02）2509-2800　傳真｜（02）2509-2462

網址｜www.parenting.com.tw

讀者服務專線｜（02）2662-0332　週一～週五｜09:00~17:30

讀者服務傳真｜（02）2662-6048

客服信箱｜parenting@cw.com.tw

法律顧問｜台英國際商務法律事務所　羅明通律師

製版印刷｜中原造像股份有限公司

總經銷｜大和圖書有限公司　電話｜（02）8990-2588

出版日期｜2020年 6 月第一版第一次印行
2024年 1 月第一版第八次印行

定價｜350元

書號｜BKKCI010P

ISBN｜978-957-503-601-0（平裝）

訂購服務

親子天下 Shopping｜shopping.parenting.com.tw

海外．大量訂購｜parenting@cw.com.tw

書香花園｜台北市建國北路二段 6 巷 11 號　電話｜（02）2506-1635

劃撥帳號｜50331356 親子天下股份有限公司

國家圖書館出版品預行編目(CIP)資料

晨讀10分鐘：漫畫語文故事集：故事文本篇／曾世杰著；胡覺隆、呂家豪繪. -- 第一版. -- 臺北市：親子天下, 2020.06
120頁；19x25公分. --（晨讀 10 分鐘系列；35）

ISBN 978-957-503-601-0（平裝）

815.96　109005791